第1章

美術館は快楽の館

マハ×マリの《モナ・リザ》体験

原田　マリさんの著書『ヴィオラ母さん』を拝読しましたが、マリさんは非常にユニークなヒストリーを持っていらっしゃいますね。音楽家のお母様の影響で、子どものころから西洋の文化に親しまれています。

ヤマザキ　母は西洋絵画が大好きだったので、家にレオナルド・ダ・ヴィンチの《モナ・リザ》のレプリカが飾ってありました。ひび割れまできれいに映し出されている印刷物で、子どものころは《モナ・リザ》が怖くて怖くて仕方なかったです。

原田　《モナ・リザ》のどのあたりが怖かったんですか？

ヤマザキ　どこから見ても視線が合ってしまうこと、ジェンダーレスな雰囲気、そして何よりあの謎の笑み。

原田　私は眉毛がないところが怖いのかなあって思いました（笑）。

ヤマザキ　うちはカトリックの家だったこともあって、絵のそばに十字架が掛けられていたんです。ヨーロッパでは西洋絵画とキリスト教はデフォルトの世界観ですが、日本だとあまり馴染みがありません。だから遊びに来る友だちもみんな神妙な顔つきになってました。でも母としては早く私を海外に出して、西洋の文化に触れてほしかったようです。

原田　子どものころに見た絵って記憶に残りますよね。ヨーロッパやアメリカに行くと、子どもを連れて美術館に行く方が多くて、デンマークのルイジアナ近代美術館に行ったとき、生後3ヶ月くらいの赤ちゃんをだっこしているお父さんが、アンディ・ウォーホルの絵を見せていました。

ヤマザキ　赤ちゃんにウォーホル、わかるのかな（笑）。でも子連れで美術館に行ける環境はいいですよね。

原田　実は私にも忘れられない《モナ・リザ》体験があります。小学校1年生のころ、長野の母の実家に遊びに行ったときに、大きな農家の家を探検していたら、物置きのように残っていた母の部屋で、護符みたいに貼ってある《モナ・リザ》を見つけました（笑）。

ヤマザキ　とにかくあの微笑みは見る人の理解を拒んでいる感じがしますよね。《モナ・リザ》が持っているへんな磁場感、吸収性というか、まるでブラックホールのようです。

原田　母の場合はカレンダーの切り抜きを貼ってあったようですが、暗い部屋の奥で不気味に笑う《モナ・リザ》はやっぱり怖かったです。

＊**レオナルド・ダ・ヴィンチ**［1452−1519年］
ルネサンス期を代表する芸術家。美術にとどまらず、自然学、工学、音楽など多方面に顕著な業績を残した。主な作品に《荒野の聖ヒエロニムス》《岩窟の聖母》《モナ・リザ》《ジネーヴラ・デ・ベンチの肖像》《最後の晩餐》など。鏡文字で記した手稿でも有名。

＊**ルイジアナ近代美術館**
デンマークのコペンハーゲンにある邸宅を改築した美術館。絵画、彫刻をはじめ、イン

スタレーションなど多くのコレクションを有し、アンディ・ウォーホル、パブロ・ピカソの作品も所蔵する。

＊**アンディ・ウォーホル**［1928－1987年］

アメリカのアーティスト。ポップアートの巨匠と呼ばれ、絵画のほかに、彫刻、写真、映像、音楽など多岐にわたるジャンルで活躍。代表作に《キャンベルのスープ缶》《狙撃されたマリリン》《毛沢東》などがある。

モナ・リザ
提供:ARTOTHEK/アフロ

美術全集で育ったユニークな人たち

原田　私が子どものころに父が美術全集のセールスマンをやっていたので、家に美術全集がストックされていました。3歳くらいから美術全集を片っ端から見て育ちましたが、美術全集の最初から眺めていると、ハンス・ホルバインやアルブレヒト・デューラーの絵あたりから怖い絵が登場して、凍りついた記憶があります。

ヤマザキ　それこそマティアス・グリューネヴァルトの《イーゼンハイムの祭壇画》も怖いですよね。私の統計だと、大人になって面白い人間になった人の子ども時代の話を伺うと、必ず美術全集が家にあるんです（笑）。

原田　幼児体験でトラウマになっていることが多いかもしれないですね。

ヤマザキ　美術全集のページをめくるたびに、知られざる西洋の、私たちが想像を絶する世界が出てきて、楳図《うめず》かずおさんの漫画に近いものがあるように感じます。500年前に活躍したヒエロニムス・ボスなんてほとんどSFですし、ピーテル・

ブリューゲルの作品のなかの世界も子どもの私にとっては不気味でした。

原田　だけどそのなかでも、イタリア・ルネサンス期のボッティチェッリの作品くらいから、あまり怖くなくなった思い出があります。

ヤマザキ　ボッティチェッリの絵には輪郭線がきちんとあって、私たちが見慣れている浮世絵に見られる二次元の世界に近いものを感じます。

原田　たしかに初期のルネサンスは輪郭があって、そこは日本画の手法に近いと言えば近いですね。そこからまた輪郭を消していったのが、レオナルド・ダ・ヴィンチをはじめとする最盛期のルネサンスの画家たちでした。

＊**ハンス・ホルバイン**［1497－1543年］
ルネサンス期に肖像画家として活躍したドイツの画家、小ハンス。木版画シリーズ《死の舞踏》を制作し、版画史上でも重要な作家といわれる。代表作に《死せるキリスト》《エラスムスの肖像》《エドワード6世の肖像》《サウスウェル卿の肖像》などがある。

＊アルブレヒト・デューラー［1471－1528年］
ドイツのルネサンス期に活躍した画家。版画家、数学者の一面も持つ。代表作に《東方三博士の礼拝》《聖三位一体の礼拝》《自画像》、連作木版画集《ヨハネの黙示録》など。

＊マティアス・グリューネヴァルト［1470年頃－1528年］
16世紀に活躍したドイツを代表する画家。後期ゴシックの流れを汲み、細部まで精密に描く作風で、内面的精神性を表現した。修道院のために描かれた《イーゼンハイムの祭壇画》は代表作。

＊ヒエロニムス・ボス［1450年頃－1516年］
ルネサンス期、初期フランドル派として活動したネーデルラントの画家。ヨーロッパ各地の王侯貴族からの依頼で多くの作品を制作。代表作に《十字架を担うキリスト》《快楽の園》《聖アントニウスの誘惑》などがある。

＊ピーテル・ブリューゲル［1525年頃－1569年］
16世紀に活躍したブラバント公国（現在のオランダ）の画家、大ブリューゲル。フランドル

絵画に大きな影響を与えたブリューゲルの家系は、その後も長きにわたり画家を輩出し続けた。

＊**ボッティチェッリ**［1445－1510年］
初期ルネサンスでフィレンツェ派を代表する画家。フィリッポ・リッピの元で学び、メディチ家の保護を受けながら、宗教画、神話画などの傑作を残した。代表作に《春》《ヴィーナスの誕生》《東方三博士の礼拝》などがある。

イーゼンハイムの祭壇画
提供:アフロ

二人のファーストミュージアム体験

原田　マリさんのファーストミュージアム体験はどんなものでしたか？

ヤマザキ　子どものときに衝撃を受けた美術館は、母親に連れて行かれた北海道立近代美術館ですね。過剰な演出がまったくない美術館で、高尚な意識を持った人が好んで訪れるような雰囲気のあるところでした。

原田　たしか北海道立近代美術館はかなり早い時期に日本にできた近代美術館ですよね。

ヤマザキ　もしかしたら開館してすぐに行ったのかもしれませんね。そこで神田日勝《かんだにっしょう》の《室内風景》という絵を見たんですが、新聞紙に囲まれて暗い表情の男が座っていて、新聞紙の細かい文字まで油絵の具で描かれているんです。その緻密さと男の何を考えているかわからない表情が怖かったんですが、同時に惹き込まれてもいた。私がのちにつげ義春《よしはる》さんを好きになったのも、この絵のインパクトがあったからだと思うくらいです（笑）。

原田　神田日勝はあまり私には馴染みのない画家ですね。

ヤマザキ　ＮＨＫの朝ドラ「なつぞら」の山田天陽のモデルにもなった画家で、没後50年にあたる２０２０年、回顧展も開催されていました。神田日勝は北海道の十勝の開拓地へ疎開し、貧しいなか、必死に絵を描き続け、若くして亡くなった人物です。

原田　きっと作品の再評価が進んでいるんでしょうね。

ヤマザキ　そのころから画家になりたかった私に、母はよくゴッホの半生を話して聞かせ、イギリスの児童文学『フランダースの犬』なども読ませました。画家を志しているネロの要領の悪さにイライラしつつも、絵を描くことは貧しさ必至で、しかもいつか理性を失うことなんだという思い込みが根付きました。神田日勝は真面目な農民で精神面に問題はありませんでしたが、とにかくお金がなかった。彼が描く絵、彼の生き方からも、画家はこんないばらの道を歩まなくてはいけないのかと、しみじみ暗い気持ちになったものでした。

原田　子ども心に見たら、インパクトがあって怖い絵ですもんね。

＊**北海道立近代美術館**
1977年開館の、札幌市内にある美術館。敷地面積は1万9470平米を超え、明治以降の北海道に関連する美術品を中心に収蔵されている。

＊**神田日勝**［1937－1970年］
東京生まれの画家。終戦直前に7歳で家族と共に北海道鹿追町へ疎開。過酷な農業のかたわら、東京芸大に進学した兄の影響を受け、独学で油絵をはじめ、農耕馬や牛などをモチーフにした絵を多く残す。北海道を代表する画家として評価を得つつも、32歳で死去した。

室内風景

提供:北海道立近代美術館

ライバルだったパブロ・ピカソ

原田　私の初めての美術館体験は、小学4年生のときに訪れた大原美術館でした。山陽新幹線が開通した年に、当時、岡山に単身赴任をしていた父に会いに行ったんです。父は子どもが好きそうなものをキャッチするのが上手で、私がきっと気にいるだろうと大原美術館に連れて行ってくれました。美術館に入ると大きな絵が飾られたギャラリーがまずあって、すごくきれいなシャヴァンヌの《幻想》が迎えてくれる。エル・グレコの《受胎告知》も堂々と飾られていて、子ども心にわぁーっ！　と感激しているなか、「へんな絵がある」と思ったのがパブロ・ピカソの《鳥籠》でした。こんな素敵な美術館にこんな下手な絵があるなら、将来、私の絵もこの美術館に飾ってもらえるに違いない！　なんて思って、ピカソをライバル視して、一生懸命絵を描いたりしていましたね。

ピカソとの出会いはロング・ストーリーで、その後、関西の大学に通っていた21歳のときに、京都市美術館で開催された日本の展覧会史上最大のピカソの回顧展がありました。もう二度と日本ではできないくらいの大規模な展覧会で、「よし、ライバルのお手並み拝見だ」とばかりに、上から目線で見に行ったのを覚えています。そこでピカソの《人生（ラ・ヴィ）》を見たときに、ばーんと正面パンチを食らうほどの衝撃があって（笑）。ピカソが天才だと気がつくまでに10年以上かかりましたが、それからはずっとピカソを追いかけています。

ヤマザキ　現代アートはデフォルメされていますから、良さがわかるのに時間がかかりますよね。

原田　モダンアートは逸脱の大きいアートですから、どうしても子どもの目には、レオナルドなどに代表される正統派のルネサンス期の作品や、顕著な黄金律で守られた絵を素晴らしいと思っちゃうんですよ。

＊**大原美術館**

岡山県倉敷の事業家、大原孫三郎が1930年に開館。前年に没した画家・児島虎次郎の目利きで収集した西洋、エジプト・中近東、中国などの美術品を中心とする日本最初の私立美術館。

＊**パブロ・ピカソ**［1881－1973年］

スペインで生まれ、フランスで制作活動をした画家、彫刻家。「青の時代」「薔薇色の時代」の古典調を経て、キュビスムを探求、様式の変化をくり返した。生涯に約1万3500点の油絵と素描、10万点の版画、3万4000点の挿絵、300点の彫刻と陶器を制作した最も多作な美術家。代表作に《アヴィニョンの娘たち》《詩人》《ゲルニカ》など。

憧れのMoMAのミュージアムショップ

原田　関西の大学に通っていたとき、神戸のアートショップでアルバイトをしていました。そのショップで目を引くカレンダーが売られていて、なんだろうと見てみたら「MoMA」と書いてあった。ニューヨーク近代美術館のことを「MoMA」っていうなんてかっこよかったですし、掲載されている写真もアートもかっこよくて、10時間分のアルバイト代を一生懸命貯めて、5000円もしたカレンダーを買いました。いつかMoMAに行きたいと思ってから5年後、初めての海外旅行でニューヨークに行ったんですが、MoMAのミュージアムショップで憧れのカレンダーがいっぱいある！　って大喜びしていたら、財布を盗られました。

ヤマザキ　泥棒は狙ってるんですよ、興奮している人を（笑）。その興奮がある限り、どんな困難だって乗り越えられるだろうって。

原田　たしかになんとかなりました（笑）。その後、自由に海外に行けるようになって出張でたくさんの美術館へ行きましたが、仕事で行くと気持ちが定まらなくて、ゆっくり鑑賞できないんですよね。

ヤマザキ　仕事をしながらですもんね。

原田　自由な気持ちでアートと向き合えるようになったのは、森美術館をやめてフリーになってからで、40代からのほうがアートを楽しんでいる気がします。

＊**ニューヨーク近代美術館**

アメリカ・ニューヨークにある近現代美術専門の美術館。1929年設立。館名（The Museum of Modern Art）の頭文字をとって「MoMA」と呼ばれる。近現代美術の粋を集め、パブロ・ピカソ《アヴィニョンの娘たち》、ゴッホ《星月夜》といった有名絵画のほかに、小津安二郎監督の『東京物語』といった映画や、写真、建築、プロダクトデザインなども美術品として収蔵している。

西洋と日本の美術館のあり方

原田　伊藤忠商事でアートの仕事をはじめてから、自由に海外に行けるようになって、いろいろなヨーロッパの美術館を歴訪してきました。教科書で見たことがある作品がすぐ目の前にあって、しかもガラスもなくむき出しで展示されているなんて、とてつもなく贅沢だ！　と思いました。

ヤマザキ　ヨーロッパは額にガラスがない展示が多いですね。ガラスに反射してほかのものが映り込んでしまうと、絵を模写しにくいんですよ。

原田　なるほど。作品の保護よりも模写する人に配慮するなんて、いかにもヨーロッパっぽいですね。ガラス越しでなく、つくられた当時と同じ状況で見ると、絵の具のテクスチャーもしっかりとわかって、やっぱり面白い。宮殿級の美術館の贅沢な絵画の見せ方は、いま思い出してもまた見に行きたくなります。

ヤマザキ　あれだけたくさんの名画を所蔵していると、大胆な飾り方になるんでしょうね。いま私がイタリアで住んでいる家は、500年前に建てられたヴェネチア式の構造の貴族の屋敷なんですが、階にわけて賃貸で貸し出されていて、3LDKなのに300平米もあるんです。真ん中にある居間が200平米と広すぎて、バドミントンもできるくらいです（笑）。

オーナーである奥様は歴代の貴族の末裔で、部屋のなかは壁からなにから美術品だらけ。先祖代々、受け継いできたものはもちろん、インドや中国を旅行したときに買い集めた調度品が揃っているんです。ヨーロッパの住環境を目の当たりにすると、個人の家ですら美術館だなあと思っちゃいますね。

原田　石の文化を持つヨーロッパでは、建築物も長い歴史に耐えますし、ファミリーが脈々と家や美術品を受け継いでいますよね。私が拠点を構えているパリのサン・ルイの部屋も、もともとはブルボン王朝時代の貴族が持っていた館で、目の前に船着場がある。当時は2階より上に貴族たちが住んでいて、いまもスノッブな人たちが借りているようですが、私が借りている1階の部屋は、天井が異常に高く、ドアを開けるとセーヌ河が目の前。どう考えても、ここは馬小屋兼倉庫だったんだろうなと思える造りで、ヨーロッパの家は建物内格差がすごくあります。

ヤマザキ　へんなところに階段が配置されていたり、ぜんぶ開かないようなドアがついていたり、格差が顕著ですよね。イタリア人のうちの旦那も先祖から受け継いだものを大事にしていて、それこそお祖母様が先代から引き継いだものを、さらに彼が、彼女が他界したあとは受け継いでいるという具合です。欧州では長く物を大切にする文化が根付いていて、木製の家具などはなかなか新しいのを買わないですね、古いものを尊重する意識が高いというか。美術品が身近にあるのが当たり前になっている西洋の人たちと、窓が多すぎて壁に絵が飾れない家屋設計の日本人とでは、美術館のあり方が本質的に違っていますね。

原田　日本の住居のなかで美術品を置ける場所は、床の間くらいしかなかったので、ふだんの生活で美術品を飾りにくい。季節ごとに付け替えられる襖や屛風から、日本美術は発展してきました。

ヤマザキ　日本の昨今の住居は、窓が広く取られていることが多くて、壁の面積も少ないので、なかなか絵を飾れませんよね。外国暮らしが長い父を持つ私の母親は、狭い家に暮らしていても、壁に絵を飾って、定期的に取り替えたりしていましたけど。

原田　パブリックに見せる美術品として、礼拝の対象である仏像がありますが、日本では多くの人に美術品を見せる習慣もなかったんです。

ヤマザキ　美術品を身近に楽しめるのは、一部の高尚な人だけだったんですね。

原田　その反動がいまの展覧会、美術館ブームになっていると想像すると、ほんとうはずっと美術品を見たいと思っていた歴史だったのかもしれません。日本のいいところは、世界的に見ても美術館大国で、ある年の展覧会動員数を調べてみたら、1位が日本。上位10位のなかに日本の展覧会が5本も入っていました。日本人って展示されたものを見物に行くのがすごく好きなんです。

ヤマザキ　日本では動物園のパンダでもなんでも行列になりますからね（笑）。並ぶという苦労も盛り込んで楽しんでいるように思えます。

原田　それこそ2016年に東京都美術館で開催された伊藤若冲《じゃくちゅう》展は、熱中症を耐えながら5時間待ちするほどの大盛況でした。大混雑のなか、人の頭越しにちらっとしか作品が見えなくて、けっして美術品を充分に楽しめる環境ではなくても、見てみたい、という心理が日本人の特性のひとつですね。

ヤマザキ　時間とコストを、精神的にも物理的にもかけられるゆとりがあるってことなんでしょうかね。イタリア人だったら面倒くさいことまでして見るのはいやだから、空いているときを見つけて行こうかなと思うはずです。

東京国立博物館にレオナルドの《モナ・リザ》が初来日したときに、防弾ガラスの向こうのはるか遠くにある絵をなんとなく見たと、母が言っていました。私は14歳のときに、母の行けなくなった渡航の代わりに、フランスとドイツの旅に出されましたが、母が意図していたことは、本当の美術館を見てきなさいということ。本物の《モナ・リザ》を見たり、本場で西洋文化に触れてほしかったようです。でもやっぱり《モナ・リザ》は大人気で、ゆっくり鑑賞できなかったですね。

＊**東京都美術館**
1926年に日本で初めての公立美術館「東京府美術館」として開館。東京・上野公園内にあり、2012年には全館リニューアルした。国内外の多様な企画展を開催。

＊**伊藤若冲**［1716－1800年］
江戸中期の画家。濃彩の花鳥画、特に鶏の絵を得意とし、美しい色彩と綿密な描写が特徴。代表作に《動植綵絵《さいえ》》《鹿苑寺《ろくおんじ》大書院障壁画》《果蔬涅槃図《かそねはんず》》など。

＊**東京国立博物館**
1872年に開館した日本最古の博物館。東京・上野公園内にあり、東洋館、資料館なども有する。日本の国宝級の美術品のほかに、エジプト、インド、東南・中央アジア、中近東の作品も所蔵。《モナ・リザ》は1974年4月20日〜6月10日、「モナ・リザ展」で公開され、150万人以上が来館した。

Column 1

思い出美術館

原田マハの思い出美術館

◆インゼル・ホンブロイヒ（ドイツ・デュッセルドルフ）…❶

広大な田園風景が広がる敷地のなかに、小さな家のような展示館が点在し、来館者は地図を片手に展示館を訪ねて歩く。各館には現代アート、日本とアジアのアンティーク、古典的な西洋美術などが、時系列や文脈とは関係なく感性で展示されている。敷地内には音楽堂や牧場もあり、ピクニック気分でアートを楽しめる。アートは頭ではなく心で見て楽しむもの、美術館に行くことで豊かな体験をする――という、とても大切なことを教えられた。

◆バーンズ財団美術館（アメリカ・フィラデルフィア）…❷

20世紀初頭に製薬業で財を成したバーンズ博士がヨーロッパで収集したモダンアートの傑作コレクション。研究者以外には公開するべからずとの遺言があったため、長らく謎のコレクションとされてきたが、2012年美術館として一般公開された。1994年、国立西洋美術館でコレクション展が日本初公開され、107万人を超える記録的動員となった。コレクションは一点一点目にするたびに「ええ!?」と度肝を抜かれるほどの素晴らしさで、しかもバーンズ博士の趣味がダダ漏れ。いい意味で異様に偏っている。コレクター魂を見せつけられる最強の美術館。

ヤマザキマリの思い出美術館

◆ウフィツィ美術館（イタリア・フィレンツェ）…❸

画学生時代、模写のために足繁く通った美術館。ルネサンスの発生から衰退までを知るためには欠かせない場所。回廊に発掘されたローマ時代の彫刻がたくさん並んでいるのも当時の人々の意識を知る上で効果的。

◆ロンドン・ナショナル・ギャラリー（イギリス・ロンドン）…❹

おそらくこの世で一番好きなアントネロ・ダ・メッシーナの《書斎の聖ヒエロニムス》と、画学生のときに最初に模写をしたヤン・ファン・エイク《赤いターバンの男》、それからやはり大好きな画家ジョヴァンニ・ベッリーニ《総督レオナルド・ロレダンの肖像》など、いまの自分を司る作品が集結している美術館。

◆ルーヴル美術館（フランス・パリ）…❺

14歳の時、母によっていきなりドイツとフランスの一人旅を企てられ、1ヶ月の旅の終着点がこの美術館だった。当時進路指導の先生に画家になりたいと言ったら「食べていけないぞ、諦めろ」と言われて落ち込んでいた私に、お金にならなくても人間にとってなくてはならない美術のあり方を考えさせるための、母の密かな目論みだった。名物《モナ・リザ》よりも、古代ギリシャ・ローマセクションの彫像や発掘品に心を奪われた。

◆シチリア州立美術館（イタリア・パレルモ）…❻

パレルモ市内にある小さな美術館だが、ここには私の敬愛するアントネロ・ダ・

メッシーナの《受胎告知の聖母》が置かれている。当時盛んに描かれた数ある「受胎告知」のなかでもこれほど神秘と謎に満ちたものは他にはない。ダ・メッシーナの流行に流されない唯一無二のスタイル、卓越したテクニック、そして時代を先駆ける審美眼が集約されているが、この作品はおそらくヴェネチアで描かれ、その後シチリアへ戻る彼自身の手で運ばれた可能性が高い。そんなことを思いながら見るとより一層感慨深い。

◆ヴェネチア・アカデミア美術館（イタリア・ヴェネチア）…❼

ヴェネチア・ルネサンスの画家の中でもお気に入りの一人がヴィットーレ・カルパッチョ。ここではこの人の作品がたくさん見られるので、イタリア滞在中は頻繁に訪れている。カルパッチョの絵はヴェネチア共和国全盛時代の風俗があらゆるディテールから垣間見ることができて面白い。500年前のヴェネチアの光景を目に焼き付けて外へ出ると目の前に広がる運河の光景に、一瞬時空を超えたかのような錯覚に陥る効果も楽しい。

❶インゼル・ホンブロイヒ（ドイツ・デュッセルドルフ）

❷バーンズ財団美術館（アメリカ・フィラデルフィア）

❸ウフィツィ美術館（イタリア・フィレンツェ）

❹ロンドン・ナショナル・ギャラリー（イギリス・ロンドン）

❺ルーヴル美術館（フランス・パリ）

❻シチリア州立美術館（イタリア・パレルモ）

❼ヴェネチア・アカデミア美術館（イタリア・ヴェネチア）

提供：❺Alamy/アフロ　❻HEMIS/アフロ　❼ZUMA Press/アフロ

第2章

終わりなきアートの迷宮

美術館とアートが持つ雰囲気に寄り添う

ヤマザキ　私は画学生だったので、美術館に模写をしに通っていたというのはありますが、長きにわたるイタリアでの生活で、美術館は気軽に行く場所だと感じています。たしかに美術館は空間的にも質感としても、ふだんの日常とは完全に線引きされている別空間で、たとえばイタリアの古代、ルネサンス時代の美術品を見ると、タイムスリップしているような感覚になる。でも厳かな気持ちになって心正して行く場所でもなくて、そこに展示されているものにまったく関心がなくても、とりあえず美術館に行ってみるのがいいですね。

原田　いままでアート小説を書いてきたプロセスのなかでも、敷居が高いというイメージからアートを避けている方が多いように感じています。私はいつも「アートは友だち」だとみなさんにお伝えしていますが、それこそ美術館は友だちの家。もっと気軽に足を運んでいただきたいですね。ただ友人の家を訪れるとはいえ、親しきなかにも礼儀ありで、その人の醸し出す雰囲気や空気感にリスペクトを忘れないこともすごく重要です。

ヤマザキ　美術館はコンサートホールと同じ空気を感じますね。オーケストラのコンサート会場に行くと、ふだんどおりの自分ではいけない、ここにはここのルールがあって、面と向かって芸術と向き合う姿勢を問われている気がするんです。

原田　クラシックを聴きに行くときと、ロックのフェスに行くときでは、こちらの心構えが違いますよね。そういう場のコードや、向き合う作品を思いやりながら、一方的にこっちを押し付けるのではなくて、相手のことも考える。この人の絵はすごいエネルギーを持っているから、その気持ちに自分を同調させるとか、この人はすごく静かな気配を持った人だから、その気配のなかに自分を沈めるとか、対峙するアートによって、自分も少し波長を合わせていくのが、美術館の楽しみ方のひとつかもしれません。

ピュアな心でアートを鑑賞

原田　ほどよい緊張感を持ちながら美術館へ赴くのは素敵なことですが、やっぱり作品と向き合うときは、リラックスしているといいですね。素で作品を鑑賞するというのは実に楽しいことで、なんの知識もなく、アーティストがつくった作品と向き合うと、ピュアに楽しめる。この人はルネサンスの偉大な画家だとか、近代美術の礎をつくった人だとか、そんなことは考えず、子どものような純粋な心のままで楽しむと、新しいアートの世界を受け入れられるんじゃないでしょうか。

ヤマザキ　初心者の方にまずお伝えしたいことは、展示されているものをわからなきゃいけないという義務感を一切、払拭してほしいということ。ただ美術館をふらふらと歩いているだけでも、目に留まるものがありますし、この場所は居心地がいいなと感じられる空間がある。なにかいいなあと感じられるものがあったら、立ち止まってじっくり鑑賞してみればいい。

絵描きの立場の私からすると、描き手の解釈や価値観と必ずしも一致する必要なんてなくて、ただ絵を見て、癒されるなり満たされるなりしていただけるのが一番だと思います。

原田　アートはビジュアルですから、名前すらわからなくてもビジュアルそのものを楽しんで、自分の心になにを語りかけているのか感じとるのが大事ですよね。

そこからもう一段進むと、アーティストと友人関係ができて、相手のことをもっと知りたくなるじゃないですか。どうしてこの作品がここにあるのか、彼らになにがあったのか？　知れば知るほど、画家や作品に親しみが湧いてきますし、友だち関係も深まっていきます。まず相手を受け入れるということ、それはアートと友情を深めるだけじゃなくて、人間世界のなかでもすごく当てはまることですよね。

ヤマザキ　アートというのは、多様性を受け入れ、自分の世界を拡げる手がかりになりますからね。

原田　あと美術館に行くときには少し服にも気を遣っています。ＷＯＷＯＷで放送された、美術館をご紹介する「CONTACT ART」でもお話ししましたが、自分の後ろで作品を見ている方の邪魔にならないような服を選んでいます。もちろん華やかなファッションで人の目を喜ばすこともあるでしょうが、私自身は作品や美術館と同調していたくて、作品が際立つように、モノトーンの服で行くことが多いですね。

ヤマザキ　そこは私はまだツメが甘い。Tシャツとジーンズのようなラフなスタイルにしがちで、学生時代の習慣が抜けてないです。

美術館とは幸せになりに行く場所

原田　美術館ってみんなが幸せな気持ちでいる場所だと思うんです。あの空気感は言葉にしにくいですが、みんな、幸せになりに美術館に行くと言ってもいいかもしれない。赤ちゃんを美術館に連れて行ってなにがわかるの？　とおっしゃる人もいるでしょうが、幸せな空気が溢れている場所へ連れてきてもらっていると感じることが、とても重要です。日本では子どもが泣いたり、騒いだりしたら困るからと、美術館から足が遠のいている親御さんも多いと思いますが、子どもは泣いたり騒いだりするのが仕事だから、いいんですよ。実際、美術館で泣きわめいているお子さんを見たことがないですし、子どもなりに楽しい空気が流れている場所だと感じているはずです。

ヤマザキ　イタリアに引っ越してからは、親族とごはんを食べたあとに、「展覧会に行ってみようか」と自然な流れで美術館へ行くことが多かったですね。ハイソな家庭でなくても、日曜日の過ごし方として、美術館へ出かけていく。日本でも話題のお店ができたら、行ってみようかってなりますが、あの感覚でふらっと美術館に行くのが当たり前の生活をしていると、大人になっても自然とアートに関心を持つようになりますよね。

原田　大人になるまでに美術館で幸せな空気を覚えてもらえたら、きっと戦争がない世の中になりますよ。紛争地帯では文化芸術を楽しむ場所や時間がなくて、追い詰められている人たちもたくさんいて、文化芸術があることは、平和である証拠のひとつです。

ヤマザキ　かつてはアートをお芸術、という感覚で捉えていましたが、いまとなっては、みなさん、海外旅行も行かれていますし、宗教画だから捉えようがなくてわからないといった印象も少ないと思います。子どもたちに関心がある、なしにかかわらず、教育のためにいいとか、悪いとかも無視して、ふだん日常的に馴染みのない場所に行くことで、旅行以外の形で子どもたちが価値観の違いを感じとれるのが美術館の良さでもあります。

原田　新型コロナの時代では、アートは不要不急だという話も出ましたが、こういうときこそ必要な場所ですよね。私たち人類にどんな苦難があっても、それを乗り越えた証として、美術館がある。文化財というのは、私たちの共通した財産であることをもっと意識しなくちゃいけないですね。私、美術館で素晴らしい作品を見ていると き、「この絵は私のものでもなく、隣にいるあなたのものでもない。だけど私たちのものだ」と思うと、すごく満足します（笑）。

ヤマザキ　わかります。私は「この世に生まれ、残されるべきものとして、選ばれたのだなあ」ということを、感じながら見ますね。

原田　美術館が美術品を世界中の人たちに見せる場を提供し続けるのは、大変な努力がいることですし、もちろんお金もかかります。本気になって維持していくのはなかなかできないことで、私たちが美術館、アートを助け続け、次の大人になる人たちのために繋いでいかなくちゃいけないですね。

初心者におすすめの美術館

原田　いい美術館の要素として、三つ挙げられると思うのですが、ひとつは素晴らしいコレクションを持っていること。二つめはキュレーションの力があって、いい展覧会ができること。三つめは環境、シチュエーションが良いこと。この三つが揃っていると、やっぱり行ってみたいなあと思いますね。

初心者の方におすすめしたいのは、まずポーラ美術館。学芸員のみなさんの企画力が非常に優れていて、魅力的なコンテンツを生かして見せる態勢、アイディアもあります。美術館のことを、芸術品の墓場だなんて意地悪なことを言う人もいますが、いまどんなアクティブなプログラムを持っているのかも、美術館としてとても大事です。

ヤマザキ　最新テクノロジーを駆使したコラボレーションをしていたり、誰が行っても、気負いなく楽しめる美術館ですよね。ポーラ美術館は自然のなかにあって、建物自体にガラスを使っていたり、明るくて開放感もあります。

原田　東京ではなく、あえて箱根の森のなかにつくっているというのも、自然にどっぷり浸かって、爽やかな空気のなかで名品を見てみましょうよって、ちゃんとしたお誘いになっていますよね。会社帰りにふらっと立ち寄れる美術館ではないですが、モードをアートにスイッチして今日は美術館に行こう、今日はリラックスして友だちに会いに行こう、という気持ちにさせてくれます。

それでいて環境の良さに寄りかからずに、いま生きているアーティストにも門戸を開いていて、現代アートもしっかりフォローされている。美術館やコレクションは"on going"で常に変わっていくものだと意識されているところは、大原美術館にも近いものを感じますね。

ヤマザキ　よく海外の友人が来たときに連れて行くのは、東京国立博物館（東博）です。日本が当時、西洋に対して持っていた理想像を具現化しようとしていた勢いを感じられて面白い。これをつくらないと列強の一員になれないんだという志の強さで、あれだけのものをつくってしまう勤勉さと、審美眼にもやられます。美術館はさらっと入るものだと思っているイタリア人のおばさまたちも、日本風の西洋建築の厳かさ、日本の人たちの文化に対する気構え、意識を強く感じるようで、心して入らなくてはという気持ちになるそうです（笑）。

原田　東博には法隆寺宝物館もありますし、日本の古い美術品を見たいという海外の方を、東博にお連れすることが多いですが、たしかにみなさん、喜ばれます。

ヤマザキ　甲冑《かっちゅう》や刀も展示されていて、日本の精神面での哲学、西洋人では到達できない意識的なものを感じるようですね。西洋の人たちとは違う価値観であっても、非常に敬われている神聖な空気が東博にはあるのかもしれません。アジア圏の中国やタイの美術館にも行きましたが、この空気感を持つ東博はオンリーワンだと思っています。コレクターたちが必死に美術品を集め、ひとつの国が諸外国に認めてもらうための美術館をつくり上げようとした賑々《にぎにぎ》しさ、パンチ力もあります。

原田　美術品の収集にはコンセプトがあり、背景があり、名物にはなぜそこに来たのかというストーリーが必ずある。もっと全日本的に常設展示の作品を発掘できるようなタイミングがくるといいですよね。海外の方にも日本の方にも常設展に目を向けていただいて、日本の近代美術と西洋美術がお互いにどう影響を与え合ったかにも注目してほしい。

常設展示も素晴らしい東京国立近代美術館では、そもそもどうして日本には洋画という不思議なジャンルがあるのか？　というところから始まって、明治以降の日本の近代美術の歴史を、本物の作品を見ながら学べておすすめですよ。

＊**ポーラ美術館**
「箱根の自然と美術の共生」のコンセプトのもと、神奈川県・箱根に2002年に開館した美術館。ポーラ創業家2代目の鈴木常司が収集した美術品を中心に、約1万点を所蔵し、日本最大級の印象派絵画のコレクションを誇る。

思い切って歴史の海にダイブしてみる

ヤマザキ　環境が素晴らしいという点で考えると、ヴェネチア・アカデミア美術館もいいですね。運河のほうから美術館に入っていくアクセスも面白いですし、ちょっときれいに修繕してはあっても古い美術館が持つ重厚感、圧とはまた違う重みがあって、日本ではけっして生み出されない空気感です。

原田　アカデミア美術館と聞いただけでも、あの空気を思い出して、行きたい！と思いますね。ヴェネチアやフィレンツェの街を歩いていると、街を守り抜いてきた市民の強いプライドみたいなものを感じます。人によっては敷居が高いとか、辛気臭くて入りにくいと思うかもしれませんが、思い切って歴史の海にダイブしてみると、心地よく泳ぐことができる。積極的に人を呼び込む感じもないですし、来ないなら来ないでもいいよって雰囲気すらありますが、一度入ると「勇者、来たか！」と受け止めてもらえる場所。あえて挑んだ人たちだけが勇者として迎えられると思うと、私もマリさんも美術の勇者になったわけです（笑）。ある意味、スクリーニングされるとも言えて、みなさんにもぜひヴェネチアのアカデミア美術館には挑戦していただきたいですね。

ヤマザキ　ヴェネチアはアミューズメントパークのように屋外だけでも楽しめてしまう場所ですが、単に表面的なものを眺めて「ヴェネチアは素敵だね」というだけじゃもったいない。アカデミア美術館に立ち寄って、どんな人たちがここで暮らしていたのか、500年前のヴェネチア社会を絵画で見て感じたあと、ふっと外に出ると、絵画の世界がいまもそのまま間近にあるような感覚を得られます。

＊**ヴェネチア・アカデミア美術館**
1817年より一般に公開されている歴史あるイタリア・ヴェネチアの美術館。14世紀から18世紀の絵画を所蔵し、ヴェネチア派の変遷をたどることができる。ジョヴァンニ・ベッリーニ、ティツィアーノなどの代表作も楽しめる。

誰もがアートを知ってしかるべき

ヤマザキ　都市のなかに溶け込む形で置かれている美術館というのも、すごく魅力的で、ロンドンのナショナル・ギャラリーも初心者の方におすすめですね。イギリスに行ったら必ず行く美術館で、とにかく名画がたくさんありますし、入館料がかからないこともあって、小さい子どもたちの団体から、制服を着た高校生と、あらゆる人たちが集まってきている。美術館は誰にでも開かれていて、誰もがアートを知ってしかるべきというイギリスの文化に対する姿勢も素晴らしいです。作品と見ている人との距離がないように感じられる美術館で、初めて行ったとき、美術のほうから「見に来てよ」と呼び込んでいるようで印象的でした。

原田　特別展を開催中でなくても、行けば必ずなにか新しい発見がある。懐深い美術館です。

ヤマザキ　アメリカのシカゴ美術館も街のなかにある美術館で、観光中にも立ち寄れる場所にあります。ビジネスマンが足早に行き交い、さまざまな情報が錯綜していくなかで、美術館に入るとふっとそこだけ時間が止まっているかのよう。日本で言えばGINZA SIX（ギンザシックス）に行くような感覚で、アメリカ絵画を楽しめます。美術館の建物自体も明るく開放感に満ち満ちていて、カフェやアートミュージアムもいい。

原田　シカゴは20世紀初頭に歴史的発展を遂げた都市で、モダン建築の宝庫。街歩きがそのまま建築・美術館巡りみたいになるんです。

ヤマザキ　都市部にある美術館で言うと、地元の人たちに親しまれているサンパウロ美術館もいいですね。サンパウロ美術館にインスピレーションを受けた音楽家の方の話を聞いたことがあります。

原田　ブラジルは未踏の地なんですが、サンパウロ美術館には「えっ⁉」というような超有名作品が所蔵されていることは知っています。

ヤマザキ　南米はまだまだ年齢が若い国が多いですが、そんななかでサンパウロ美術館では、ヨーロッパで培われてきた美術品も置かれていて、そのコントラストがまた楽しい。ルノアールといったヨーロッパの絵画がどういった手順で、この地に渡ってきたのかも考えさせられて、絵画は外交とビジネスの要素を強く持ったものだと痛感させられます。

＊ロンドン・ナショナル・ギャラリー

１８２４年にイギリス・ロンドンで創立された、西洋絵画を中心にコレクションした美術館。特別な企画展以外は入館無料で、維持管理費用を寄付で募る。13世紀ごろの絵画からゴッホの《ひまわり》、セザンヌの作品など２３００点以上を所蔵。

＊シカゴ美術館

アメリカ・シカゴにある美術館で、１８７９年創立の美術学校を前身とし、正式名称はThe Art Institute of Chicago（シカゴ美術研究所）。メトロポリタン美術館、ボストン美術館とともに、アメリカ三大美術館のひとつと数えられる。各国の美術品はもちろん、アメリカ美術の初期から現代まで２００年の歴史の代表的作品を多く収蔵。

＊**サンパウロ美術館**

１９４７年に開館したブラジル・サンパウロにある南米屈指の美術館。ブラジルの新聞王アシス・シャトーブリアンの発議により設立され、正式名称はMuseu de Arte de São Paulo, Assis Chateaubriand（サンパウロ・アシス・シャトーブリアン美術館）。先史時代から現代に至る豊富な西洋美術コレクションを有することから、「奇跡の美術館」と称される。

第 3 章

偏愛するアーティストたち

ルーヴル美術館との出会い

原田　森美術館準備室で働くようになってから、初めてルーヴル美術館に行ったんですが、当時の森ビルの社長・森稔さん（故人）をお連れして、30分で案内しなければならないという無茶ぶりなミッションで。事前にたくさん知識を詰め込んでから、ビシッとスーツを着て10センチヒールのパンプスを履いて、アテンドさせていただきました。あ、そういえば途中で足首をグキッとしたことも思い出した（笑）。

ヨーロッパでは宮殿や古い館を美術館などの文化施設にしていて、日本の美術館とは外観、建物からして趣が違う。西洋では国の威力、文化の度合いを見せつけるカルチャーが自然とできているように思いましたね。

ヤマザキ　圧倒的な迫力がありますよね。私は初めてのルーヴル美術館で《モナ・リザ》の鑑賞は早々に諦めました。まず人だかりがすごすぎるのと、家のレプリカでもううんざりするくらい《モナ・リザ》の顔は見ていましたし（笑）。ほかのギャラリーを見て回っていて一番強烈だった絵は、アントネロ・ダ・メッシーナの《船乗りの肖像》という作品。《モナ・リザ》のような謎の笑みを浮かべた男が、こちらを見つめている肖像ですが、その強烈な目力にやられた。あとになって調べてみると、《モナ・リザ》よりも前に描かれた作品で、レオナルドほど有名ではない画家でも、1400年代からこんな素晴らしい絵を残しているんだと衝撃的でした。あのとき以来、私の美術館への概念が変わったと思うんですよね。

原田　お母様の導きもあってマリさんは早くから海外に行かれ、ダ・メッシーナのような画家の魅力をキャッチする素養があったんでしょうね。

ヤマザキ　人が評価するものだけが必ずしもいいわけじゃなくて、自分の目で見て感じて探してきなさい、自分だけの価値観を持ちなさい、ということだったと思います。いまでは私は、ダ・メッシーナを心の師匠と呼んでいます。

＊**ルーヴル美術館**
フランス・パリにある世界最大級の国立美術館。12世紀、セーヌ河右岸に建設されたルーヴル宮殿をもとに1793年に開館。38万点以上の美術品を所蔵し、そのうち古代から19世紀までの3万5000点ほどを8部門に分類して展示。

＊**アントネロ・ダ・メッシーナ**［1430年頃－1479年］
15世紀ルネサンス期に活動したイタリアの画家。シチリア島のメッシーナ生まれ。ヴェネチア派初期の重要な画家で、本格的に油彩技法を用いた最初期の画家でもある。代表作に《書斎の聖ヒエロニムス》《船乗りの肖像》《傭兵隊長の肖像》《柱に繋がれたキリスト》などがある。

三大巨匠に隠れたアーティストたち

ヤマザキ　実はレオナルドが生まれたころにはすでに、ダ・メッシーナはアラゴン家統治下のナポリでの修業先の画家の家で、北方の絵画と接し、まだテンペラやフレスコが主流だったイタリアでいち早く北方系の油彩の技法を習得し、二次元的だった画法を立体感のある三次元的描写に変えていった人なんです。

それまでのイタリアでは、フィリッポ・リッピが描いたマリア様のような少女漫画的美人画のように、まだゴシック色の強い平面的な作風が多かったんですが、ダ・メッシーナの油彩技法によって、描かれた人間がリアルな生命力を帯びる、という新しい展開がされていきました。絵画が神秘性を持つようになって、人間の力じゃ及ばないなにかを醸し出すようになりました。

原田　多くのダ・メッシーナの作品では、人物の背景を真っ黒に塗っていますが、なぜですか？

船乗りの肖像
提供:Bridgeman/アフロ

ヤマザキ　当時の、ヤン・ファン・エイクやペトルス・クリストゥスなど北方絵画の影響が色濃く出ていますね。細かく背景を描くのが当たり前だった絵画の世界で、ダ・メッシーナは背景を暗くしたほうが人物を浮き立たせる効果が高いことを、ヤン・ファン・エイクの作品などを通じて、よく理解していたのだと思います。

原田　まだ明暗法が出ていない早い時期から、ダ・メッシーナは取り入れていたんですね。

ヤマザキ　ロンドンのナショナル・ギャラリーにあるダ・メッシーナの《書斎の聖ヒエロニムス》は大好きな作品ですが、ふつうならこれみよがしに描くライオンを、日陰の目立たない場所に真っ黒な影として配置することで、なんとも言えない東洋的な神秘に満ち満ちている。あっちを向いて箱座りしている猫が描かれていたり、鳥同士がそっぽを向いていたり、なにを意味しているのかわからないモチーフの描き方にも想像力を掻き立てられ、ずっと眺めていられますね。彼は北方の影響を強く受けてはいますが、イタリアらしいリアルな理数的構成力もこうした作品のなかにしっかり見ることができます。

原田　書斎なのにタオルがかかっていたり、そもそもどうしてここに書斎があるんだろうと気になる一枚ですよね。ルネサンス初期の作品でありながら、すぱっと切られた構図のなかに奥行きが表現されています。

ヤマザキ　もし私が美術展を開催できるなら、改革的な画家としてダ・メッシーナ展をやりたいといろんな人に言っていますが、なんせ日本では知名度がなくて難しいです。

原田　日本の場合どうしても、ルネサンス期というとミケランジェロ、ラファエロ、レオナルドの三大巨匠になっちゃいますからね。ほんとうは隠れた素晴らしい画家たちがたくさんいます。

ヤマザキ　ちょっと前、ヴェネチアでダ・メッシーナ展が開催されたときは、ダ・メッシーナがヴェネチアにいたときに彼に影響を受けた人たちが残した模写も展示されていました。無名のアーティストの展覧会だと、集客があるかどうかはわかりませんが、一般の方にも注意を向けてもらえる形で開催されることで、少しずつ名前が浸透していく。ダ・メッシーナのような画家をもっとたくさん紹介できれば、より深く、そして面白いルネサンスを考察できるようになるはずなんです。

原田　フランスでもイタリアでも系統立てて見せてくれる大型の美術館がありますよね。ただ《モナ・リザ》だけを見にルーヴルに行くんじゃなくて、ロジカルに系列立ててたくさんの作品を見ることは、実は大事なことですね。

＊**フィリッポ・リッピ**［1406－1469年］
イタリア、ルネサンス中期の画家。孤児となりフィレンツェの修道院で育てられ、画僧として活躍するが、詐欺や駆け落ちなどを起こし還俗。ボッティチェッリの師。主な作品に《受胎告知》《聖母子と二天使》《聖母子》などがある。

＊**ヤン・ファン・エイク**［1395年頃－1441年］
フランドルの画家。15世紀フランドル絵画の創始者と言われ、後世の画家たちに影響を与えた。主な作品に《宰相ロランの聖母》《ファン・デル・パーレの聖母子》、兄ヒューー

ベルトとの共作《ヘントの祭壇画》などがある。

＊**ペトルス・クリストゥス**［1410年頃－1475年頃］
初期フランドル派のオランダの画家。宮廷画家でもあったヤン・ファン・エイクの工房で活動し、彼の死後、工房を引き継いだ。代表作に《カルトジオ会修道士の肖像》《エドヴァルト・グリムストンの肖像》《若い女の肖像》など。

＊**ミケランジェロ・ブオナッローティ**［1475－1564年］
イタリア、ルネサンス期の芸術家。彫刻、絵画、建築の並外れた才と、詩人、社会活動家としての一面も持ち、西洋美術史に大きな影響を与えた。代表作に《マンチェスターの聖母》《聖家族》、彫刻《ダヴィデ像》、建築物ではメディチ家礼拝堂などがある。

＊**ラファエロ・サンツィオ**［1483－1520年］
イタリアの画家、建築家。ヴァチカン宮殿の壁画や多くの肖像画・宗教画を制作、サン・ピエトロ大聖堂の建築にも関わる。37歳で没。代表作に《システィーナの聖母》《聖母の婚礼》《大天使ミカエルと竜》などがある。

書斎の聖ヒエロニムス
提供:akg/アフロ

絵画から読み解くルネサンス期

ヤマザキ　ルーヴル美術館の所蔵作品だと、ティツィアーノ・ヴェチェッリオが描いた《手袋をもつ男》も印象深かったです。

原田　すっごいハンサムなイケメンなんですよね。怖い雰囲気だけれど、かっこよくて私も大好きです。

ヤマザキ　ヴェネチアのいわゆるハンサムガイの顔っていうんですかね、あれは。いまでも北部ではああいう顔は見かけます。黒い服を着た男が黒い手袋をもつというモチーフもかっこいい。

原田　あのころのヴェネチアでは、黒のコスチュームが流行っていたんですか？

ヤマザキ　いまでも難易度が高い黒い服を上手に着こなせるとおしゃれに見えるのと同じで、ヴェネチアでも黒の服が流行っていました。ヴィットーレ・カルパッチョの《聖十字架遺物の奇跡》を見ると、まるで「L'UOMO VOGUE」などのモードファッション誌のようで、彼はいまでいうおしゃれインフルエンサー。当時のドルチェ&ガッバーナとでもいうか、画家はファッションデザイナーとしてのセンスも問われる職業でしたからね。

原田　たしかにカルパッチョの絵がそのまま「ELLE」や「marie claire」の広告に入っていても、違和感がないですね。

ヤマザキ　左右の色が違う刺繡入りのタイツを穿く男の人が描かれていたり、おしゃれな柄の入った帽子まで綿密に表現されています。幾何学模様のこのマントなんて、かっこよすぎませんか？　カルパッチョの絵は女性よりも男性のほうに注力している傾向が強く、特に気になるのは男性のおしりのカーブが熱心に描かれていること。カルパッチョはきっと男の人が好きな画家だったと思うけど、彼自身もどんな格好をしてたのかなあ、会っていろいろファッションの話をしてみたかったなって思ってしまいます。

原田　絵にカルパッチョの指向性が入っていますね。男の人のほうがおしゃれだなんて、極楽鳥みたいだな。

ヤマザキ　当時のヴェネチアのファッションは、どれだけインパクトを与えられるかが一番大事で、脱ぐのが大変すぎて一度しか着られないような服も好まれていたそうです。

原田　まるでオートクチュールの世界ですね。一回着た服は着ないなんてリッチの証。当時のヴェネチアは天下の大都市だったのも納得です。

ヤマザキ　布だって中国のシルクや中東の高級なダマスク織なんかが貿易でどんどん入ってきますしね。ヴェネチアは斬新なものを受け入れ、イタリアの文化にうまく溶け込ませることができた都市ですが、商業大国ヴェネチアの力でもありますね。

原田　安藤忠雄さんの設計でリノベーションした施設を美術館に生まれ変わらせたプンタ・デラ・ドガーナも、ヴェネチアの三角形の出島にあって、ちょっとぶっ飛んだようなコンテンポラリーアートが展示されていてかっこよかったです。ヴェネチアでは2年に一度、ヴェネチア・ビエンナーレが開催されていますが、１３０年近く続けてこられているのは、昔もいまもヴェネチアという街が魅力的だからでしょうね。

ヤマザキ　ヴェネチア共和国から使者が来ると、フィレンツェの人たちは圧倒されていたようです。ドバイやシンガポール、香港のようなファイナンシャルセンターが昔のフィレンツェだと考えるとわかりやすいと思うのですが、金融都市としてお金持ちではあっても、別に最先端ファッションの発信地というわけではないじゃないですか。まあ、フィレンツェはフィレンツェで十分おしゃれな人たちが触発しあっていた都市ではあったのですけどね。

ファッションと言えば、日本のみなさんは、イタリアの男性は素足に革靴を履いて、首には巻き物をしているイメージを持たれているように思いますが、私の周りにいるイタリアの男性はみんなランニングの上にシャツを着て、パンツにインしている男性しかいませんよ（笑）。靴下もちゃんと穿いてます。そうしないとマンマや妻に「ムレるからヤメて！」と怒られる。

原田　そんなにおしゃれな人ばかりなわけない（笑）。

ヤマザキ　フィレンツェでは、ピッティ・ウォモのようなファッション見本市が開催されている期間中、女性には真似できないような奇抜なファッションをした男性を見かけますが、病的なほどにマニアックにファッションが好きな男性のことをイタリアの女たちは「ほら、あのピッティ・ウォモみたいな男」と表現したりしてますね（笑）。イタリア人から見ても、おしゃれすぎる人は少し浮いてるんですよ。そう考えると、当時のヴェネチアは、ピッティ・ウォモだらけだったのかもしれません。

＊**ティツィアーノ・ヴェチェッリオ**［1490年頃－1576年］
盛期ルネサンスのイタリア人画家で、ヴェネツィア派の巨匠。華麗な色彩を用いて近世の古典的油彩画法を創始した。代表作に《田園の奏楽》《ヴィーナスへの奉献》《エレオノーラ・ゴンザーガの肖像》などがある。

＊**ヴィットーレ・カルパッチョ**［1465年頃－1526年］
イタリアの画家。15世紀末から16世紀初頭に活躍した、ヴェネツィア派を代表する一人。

代表作に「聖ウルスラ物語」として知られる9枚の連作、《騎士の帰還》《聖十字架遺物の奇跡》などがある。

＊**安藤忠雄**［1941年－］
日本を代表する建築家、東京大学名誉教授。文化勲章、フランス芸術文化勲章、イタリア共和国功労勲章グランデ・ウフィチャーレ章など、国内外を問わず多くの賞を受賞する。代表作に《光の教会》《ピューリッツァー美術館》など。

手袋をもつ男
提供:akg/アフロ

聖十字架遺物の奇跡

提供:Bridgeman/アフロ

夢中になりすぎてしまう才能

ヤマザキ　日本で知名度の低い画家で言うと、パオロ・ウッチェロも好きですね。たぶん愛する妻のことを思い浮かべながら描いたであろう《聖母子像》は、幼児キリストの表情がどことなく大阪のおばちゃん的で微笑ましいです。

原田　赤ちゃんのキリストの顔がぱんぱんで、ビリケンさんみたいですよね（笑）。私はいつもアートは友だちで、美術館は友だちの家だと思っているんですが、友だちだからつい《聖母子像》を見て笑っちゃうんです。笑っちゃう根底には愛があるんですよね。

ヤマザキ　好きでもない人のことを、笑いに昇華しませんもん。

原田　この赤ん坊がフレームから飛び出そうとしているところが、ウッチェロにとっては斬新だったんでしょうね。

ヤマザキ　そしてこの左右に伸びた赤い矢印はなんなんでしょう。よく見ると聖母の背景に描かれているニッキア（壁龕《へきがん》）の切断面っぽいんですが、彼は理系脳の人なので、つい構図のなかに矢印や幾何学模様を入れちゃうんでしょうね。こんな赤いインパクトのある切断面、必要ないと思うんですけどね（笑）。

原田　未来派みたいなイメージでしょうか（笑）。ウッチェロはどう短縮したら奥行きがあるように見えるのか研究しつづけた、初期ルネサンスで重要な画家のひとりですが、自分の追求していることに夢中になりすぎた人が《聖母子像》を描くとこうなっちゃう。

ヤマザキ　聖母が着ている服の袖なんてボタンの数が多すぎて、人物よりもボタンを描くことに執着していたのが見てとれます。描き始めたらひとつのことにしか意識が働かなくて、ほかのモチーフとの調和なんてどうでもよくなってしまう。そんな人となりが垣間見えて、つい笑ってしまうような絵を多く残しているウッチェロですが、彼はもちろんパロディで描いているわけではなくて、常に目の前のことに一生懸命で真剣なんです。そこがこの画家が大好きな理由です。

＊**パオロ・ウッチェロ**［1397－1475年］

イタリア、初期ルネサンスの画家。遠近法・透視図法などの空間表現を駆使し、幻想的な寓話の世界を生み出した。主な作品に《竜と闘う聖ゲオルギウス》《女性の肖像》、3連作《サン・ロマーノの戦い》などがある。

聖母子像
提供:album/アフロ

資料から憶測して自分の見解を持つ

原田　早稲田大学でイタリアのルネサンス専門の先生に、ひと通りスライドを見ながら美術史を教えていただきましたが、ルーヴル美術館にあるウッチェロの馬に乗った騎士と槍がたくさん描かれた《サン・ロマーノの戦い》を見つけたとき、馬のおしりがこちらを向いていることに気がつきました。実際に絵を見て初めてわかることも多くて、あの絵を見ると、ウッチェロはほんとうに遠近法が好きだったんだと感じる。奥まっているものを短く見せるというのは、二次元の世界との戦いなんですよね。遠近感を出す短縮法を追求するあまり、馬のおしりがこっちを向いちゃう。

ヤマザキ　たしかにウッチェロが活躍した時代は、透視図法が開発され、数学的な要素をすごく問われていて、いろいろな画家がやたらと遠近法を試していましたが、彼としては、なんとしても馬をあの角度から描きたかったんでしょうね（笑）。ウッチェロのデッサンにたくさん幾何学模様の謎の物体が出てくるんですが、これは実は彼の絵画に描かれた騎士がかぶっている帽子の枠なんですよ。ウッチェロにとっては帽子そのものより、この輪っかのほうが魅力的だったんでしょう。

原田　寝ても覚めても遠近法のことしか考えていなかったウッチェロを愛おしく思うんですけど、ルーヴルに誰かお連れしたときにそのかわいさを伝えようと思っても、うまく伝わらないですね。

ヤマザキ　ウッチェロはイタリア語で鳥という意味で、ウッチェロは大好きな鳥と妻と慎ましい生活をしていました。変わった人だったから仕事がない彼を、当時パドヴァで仕事をしていたドナテッロがアシスタントに呼んであげたり、常に誰かに気にかけてもらえるような人で、当時の人たちから見ても愛される人物だったみたいです。

原田　マリさんにウッチェロのことを漫画にしてほしいですね。

ヤマザキ　「芸術新潮」で連載していた「リ・アルティジャーニ」でウッチェロのことを描きました。アルティジャーニはイタリア語で職人という意味なんですが、私の妄想で描いたその漫画では、マサッチオの《楽園追放》の前で、熱心に模写しているおじいさんとボッティチェッリが出会うシーンがあって、ボッティチェッリがなにを模写しているのか覗いてみたら、マサッチオの絵とはまったく関係のない幾何学の立体を描いているというコマがあります（笑）。

原田　ここでそれを描かなくてもいいじゃん！　って。

ヤマザキ　小学生の男の子が乗り物を描くときに、メカ部分ばかり一生懸命になっちゃうのに近いですね。ある意味健康的な男子体質。このシーンを描いていたときは、本当に楽しくて、ウッチェロの支持者である私の妄想を炸裂させています。

原田　私も列伝に出てくるようなアーティストたちが同時代を生きて、一緒にスケッチをしたかもしれないとか、一緒に旅をしたかもしれないと妄想するのが好きです。

ヤマザキ　わかります。彼らの背景を調べていると、自然とストーリーが生まれてきてしまうんですよね。ボッティチェッリとウッチェロや、レオナルドとダ・メッシーナが実際に会った証拠もないし、私もかなり妄想を暴走させて物語をつくりましたが、ジョルジョ・ヴァザーリが残した『美術家列伝』ですら眉唾なエピソードも多い。ヴァザーリが褒めまくっているのは当時まだ生きていたミケランジェロくらいで、ウッチェロなんて「絵が下手で、最後は野たれ死んだ」なんてかわいそうな書かれ方をしているんですよ。

原田　ヴァザーリがまとめた列伝をベースに研究されていることも多いですよね。

ヤマザキ　人の手が加わった資料から、私たちが憶測して自分の見解を持ち、あとは読者の想像力次第。ローマものでもルネサンスものでも、私の作品はおおむね実際の史実を軸においた妄想でつくられています。

原田　私も物書きの性《さが》で、アートとコンタクトして受け止めたメッセージから、いろいろな妄想が広がっていきます。小説『リボルバー』ではフィンセント・ファン・ゴッホとポール・ゴーギャンの2人の関係性を私の解釈で書きました。妄想したり、想像することは自由だから、100人いれば100人なりの受け止め方があって当然で、そこが美術のいいところですよね。

＊**ドナテッロ**〔1386年頃－1466年〕
ルネサンス初期に活躍したイタリアの彫刻家。レリーフも多く制作し、透視図法を用いた視覚効果を立体的に追求した。彫刻《聖マルコ像》《ガッタメラータ騎馬像》、レリーフ《聖ラウレンティウスの殉教》などがある。

＊**マサッチオ**〔1401－1428年〕
イタリアの画家。透視図法や消失点を取り入れ、短命ながら、初期ルネサンス絵画を革新した。代表作に《聖三位一体》《キリスト磔刑》《楽園追放》などがある。

＊**ジョルジョ・ヴァザーリ**〔1511－1574年〕
16世紀イタリアの画家、建築家、美術史家。ヴァザーリが書いた『もっとも秀でたる建築家、画家ならびに彫刻家の列伝』（1550年初版）は、美術史の古典として有名で、日本では部分訳が出版されており『美術家列伝』などと呼ばれる。

＊**フィンセント・ファン・ゴッホ**〔1853－1890年〕
オランダのポスト印象派を代表する画家。強烈な色彩と激しい筆致のタッチで知られ、

後世の美術に大きな影響を与えた。代表作に《ひまわり》《種まく人》《星月夜》など。
また多くの自画像を残した画家でもある。

＊**ポール・ゴーギャン**［1848－1903年］
フランスのポスト印象派の画家。ゴッホと交流があり、短いながら共同生活を送った時期がある。タヒチに渡り創作活動を行った。代表作に《アレオイの種》《我々はどこから来たのか、我々は何者か、我々はどこへ行くのか》などがある。

サン・ロマーノの戦い
提供:アフロ

ルネサンス期の画家と現代の漫画家

ヤマザキ　漫画「リ・アルティジャーニ」では、メジャーな画家はレオナルドやフィリッポ・リッピ、ボッティチェッリくらいしか出さず、ウッチェロ、マサッチオ、ドナテッロ、ジョルジョーネなど、ふだん表に出てこない知られざるマニアックな画家たちを登場させています。

原田　挙げられたアーティストは、実際に絵を見ると圧倒される画家たちばかりですね。

ヤマザキ　ルネサンスの時代、特異なものを生み出す人が、特異な経済のバックグラウンドを動かしていて、お金を動かすほどヒットした画家は実際それから何世紀も経っているのに有名なままです。でも実は大きなお金を動かすこともなければ、誰でも知っていると言われるほど有名ではないけれど、すごい画家がいたというのを描きたかったんです。経済活動を活発化させた人気の画家は、現代の日本の漫画界に置き換えてみると、漫画誌に掲載されるような売れっ子漫画家に近い。レオナルドが手塚治虫さんだとしたら、ミケランジェロは石ノ森章太郎さんになるのかなとか、当時の芸術家たちを漫画家に重ねてみると、これがなかなか面白い。

原田　水木しげるさんは誰だろう？

ヤマザキ　水木さんはヒエロニムス・ボスかな。グリューネヴァルトというのもありです（笑）。

原田　わかります、それ（笑）。

ヤマザキ　当時の工房では人気画家の絵を無名の画家たちが一緒に仕上げていましたが、いまの漫画家にもたくさんのアシスタントさんがいます。そのまま人気漫画家に養われたままでいるか、独立するかという問題も、ルネサンス時代の画家たちの生き方と似ていてイメージしやすいんです。

原田　アーティストたちの知られざる人生を、私たちのような現代を生きているクリエイターを通して、別の創作に再生されるのは面白いプロセスですよね。私はマリさんがお描きになるものがすごく好きで、自分が小説でやっていることと近いように感じています。マリさんがウッチェロを描いたことで、彼にはルネサンスのある一角を埋めた功績があると知れ渡る。読者のみなさんの知の扉が、どんどん開いていきますね。

ヤマザキ　ルネサンス期の魅力は、それまでマリア様やキリスト様の絵に金箔を貼る絵が定型だったところに、風俗画に近いフィリッポ・リッピの美人画が受け入れられ、それをサポートするコジモ・デ・メディチのような存在があったこと。変化をポジティブなエネルギーとして稼働できる人たちが、要所要所で登場したことです。

原田　そういうエネルギーを持てた人たちだからこそ、アーティストたちのパトロンになりえたということでしょうね。

ヤマザキ　絵画に限らずあらゆる文化にポジティブな動きが浸透したことで、大きなルネサンス改革が起きた。いま見ても笑っちゃうウッチェロの絵だって、たとえ行きすぎたマニアックさでも、新しいことをやってみようとするチャレンジ精神とエネルギーは素晴らしいし、実際、それを評価できる人間たちが周辺にはいたということです。

＊**ジョルジョーネ**［1477年頃－1510年］

盛期ルネサンスのヴェネチアで活動したイタリア人画家。現存する作品が6点しかないといわれ、経歴も芸術活動も謎に包まれている。真筆とされた作品に《眠れるヴィーナス》《3人の哲学者》などがある。

＊**コジモ・デ・メディチ**［1389－1464年］

フィレンツェ共和国の銀行家、富豪。メディチ家のフィレンツェ支配の基礎を築いた。芸術保護や公共事業に財を投じ、フィリッポ・ブルネレスキ、ドナテッロらを庇護した。

Column 2

好きな作品ベスト10

マハ的好きな作品ベスト10

1 フィンセント・ファン・ゴッホ《星月夜》…P102

2 クロード・モネ　睡蓮

3 ポール・セザンヌ《りんごとナプキン》…P115

4 ポール・ゴーギャン《我々はどこから来たのか、我々は何者か、我々はどこへ行くのか》

5 パブロ・ピカソ《盲人の食事》

6 アンリ・マティス《ダンス》

7 レオナルド・ダ・ヴィンチ《受胎告知》

8 ジョルジョ・モランディ　静物画…P191

9 俵《たわら》屋《や》宗達《そうたつ》《風神雷神図屛風》

10 東山《ひがしやま》魁《かい》夷《い》《道》

マリ的好きな作品ベスト10

（順不同ですが、1〜4は決定）

1 アントネロ・ダ・メッシーナ《書斎の聖ヒエロニムス》…P75

2 アントネロ・ダ・メッシーナ《男性の肖像》

3 アントネロ・ダ・メッシーナ《船乗りの肖像》…P70

4 アントネロ・ダ・メッシーナ《受胎告知の聖母》

5 ヤン・ファン・エイク《アルノルフィーニ夫妻の肖像》

6 パオロ・ウッチェロ《聖母子像》…P87

7 アンドレア・マンテーニャ　ドゥカーレ宮殿　夫婦の間の一連の作品

8 ヴィットーレ・カルパッチョ《聖十字架遺物の奇跡》…P83

9 ジョヴァンニ・ベッリーニ《総督レオナルド・ロレダンの肖像》

10 ジョーダン・ベルソン『5 Essential Films』のうちの《夢の泉》（絵画ではありませんが）

星月夜
提供：
Bridgeman
Images/アフロ

第 4 章

未完の魅力への憧れ

未完の作品が多いレオナルド

ヤマザキ　ウフィッツィ美術館にあるレオナルドの《マギの礼拝（東方三博士の礼拝）》は未完の作品ですが、あの時代に完璧なものを生み出さないなんて、レオナルドほど中途半端を肯定したアーティストはいないですよね。

原田　《モナ・リザ》ですら完成してないかもしれないと言われていますもんね。

ヤマザキ　私も最後まで筆を入れたくない気持ちが理解できて。最終的にどうなるのか想像できてしまうと描いていて面白くないんです。一昨年だったか、友人で美術史家でありレオナルド研究の第一人者である池上英洋《いけがみひでひろ》さんが、彼が教えている東京造形大学の学生にレオナルドの未完の作品の完成形をつくらせたことがありました。それらの作品の展覧会が東京の代官山であったので見に行ったのですけど、それを見ながら気がついたのは、通常であれば作品は完結を目指してやるものだと誰しも思うものだよな、ということです。

フィラデルフィア美術館にある、制作中にガラスにひびが入ったマルセル・デュシャンの割れたガラス《彼女の独身者たちによって裸にされた花嫁、さえも》通称《大ガラス》じゃないですけど、レオナルドもどこかそういう偶然性や、思いどおりにならなかったり完成できなくても、それをヨシとしてしまうような、完成で達成感を得られる人ではなかったんじゃないかと捉えています。

原田　ルネサンス期において、レオナルドは未完の作品が多いですが、それを許されたのは彼が天才だったからでしょうか？

ヤマザキ　許されるわけはないんですが、なにかに縛られるのが嫌いな流転の人だったので、もしパトロンとうまくいかなくなったらやめてもいいと思っていた節はあります。人生は思いどおりにならないっていうのを、子どものときから叩き込まれている人ではありますからね。

原田　刹那的な生き方をしていた人なんでしょうね。

ヤマザキ　現代アーティストのバンクシーのような存在とまでは言いませんが、引き受けた絵もずっと描かずにいて、絵を催促されている文献も残っています。《ジネーヴラ・デ・ベンチの肖像》を見ると、レオナルドが全然乗り気じゃなかったのがよくわかります。

原田　たしかに。

ヤマザキ　ほんとうは綺麗な人だったんですけど、こんなふうに描かれちゃうといろんな妄想が錯綜しますすね。被写体への敬愛が感じられない。

原田　一生のなかでレオナルドの気分が乗ったのは、数回しかなかったってことになるのかな。

ヤマザキ　《モナ・リザ》だけは気に入っていて、レオナルド本人が最期まで持っていたと言われていますが、自分が描きたい人ばかり描くから、どの絵もみんな同じ顔をしています。これは漫画家にも多く見られる傾向だと言えます。

5年ほど前に《マギの礼拝》は修復されてしまって、くっきりと明瞭な絵に生まれ変わっていて、「えーっ！」と少しがっかりしました。劣化していく歳月が作品を成熟させることってありますよね。

原田　イタリア・ミラノのサンタ・マリア・デッレ・グラツィエ教会にある《最後の晩餐》のように、修道士がパスタを茹でた湯気で絵が劣化したというエピソードもまたいいものです。

ヤマザキ　どうしても科学的な見解のほうが注視されて、もとの形に戻すことに着目されてしまいますが、時間の経過によってでしか醸し出されない味わいを排除されてしまうのは寂しいです。作品というのは、手がけた作家の手を離れれば、そこから独自の歴史を歩んでいくものだと思うのですが。

原田　レオナルドレベルの文化財だと、修復してしまうんでしょうね。

ヤマザキ　どうせまた何世紀か経てば劣化していきますから、メンテナンスという意味を兼ねているんでしょうか。

＊マルセル・デュシャン［1887－1968年］
フランス生まれの芸術家。キュビスムからダダやシュルレアリスム運動へ移行し、近代絵画を批判。既成の物にサインをしただけ、あるいは名称を付け替えるなどした「レディ・メイド」をオブジェとして発表、20世紀美術に大きな影響を与えた。代表作に、陶製の便器を用いた《泉》、《モナ・リザ》の絵葉書に髭を描き加えた《L.H.O.O.Q.》。

＊バンクシー［生年未詳］
イギリスを拠点に2000年代から活動する匿名のアーティスト。街なかの壁などへのグラフィティにこだわり、反資本主義や反権力など政治色、メッセージ色の強い絵を残す。

＊サンタ・マリア・デッレ・グラツィエ教会
イタリア・ミラノにあるカトリック教会の聖堂。レオナルド・ダ・ヴィンチの《最後の晩餐》は、1495～98年頃に敷地内の修道院にある食堂の壁画として描かれた。

マギの礼拝

提供:Bridgeman/アフロ

「アンフィニッシュド」とはなにか

原田　２０１６年にニューヨークのメトロポリタン美術館の分館・メットブロイヤーで開催された「Unfinished : Thoughts Left Visible」展は、たくさんのアーティストたちの未完の作品を集めた面白い企画でしたよ。

ヤマザキ　未完のものを集めた美術館はどうかと、私も提案しようと思っていたのに、もうやられちゃっていましたか。

原田　私も実はそんな展覧会をやったらいいいんじゃないかと、ずっと思っていたんです。未完に対する憧れがずっとあって。

近代の作品でもポール・セザンヌなんてどこで終わっているのかわからない画家です。なにかの理由があってやめただけで、この先、もう少し筆を入れて完成させるつもりだったのか、もしくは作家の意図で途中でやめて完成形としているのか、どちらか判断がつかない作品が、古来からいろいろあるんですよ。

その展覧会が画期的だったのは、それこそロマネスク時代くらい古いものから現代までの作品を展示して、「アンフィニッシュド」とはなにかということを紐解いていました。

＊**メトロポリタン美術館**

1870年に開館したアメリカのマンハッタンにある私立美術館。所蔵数は300万点以上、尾形光琳《八橋図屏風》といった日本の芸術作品も多数所蔵する。分館だったメット・ブロイヤーは、2020年に閉館した。

＊**ポール・セザンヌ**［1839－1906年］

フランスの画家。印象派として出発したのち独自の画風を確立、キュビスムなど20世紀絵画に影響を与え、「近代絵画の父」と評されることも多い。代表作に《果物籠のある静物》《アンブロワーズ・ヴォラールの肖像》《積み重ねた骸骨》などがある。

ジネーヴラ・デ・ベンチの肖像
提供:akg/アフロ

りんごとナプキン
提供:ARTOTHEK/アフロ

ドローイング特有の伸びしろ感

原田　ルーヴル美術館で開催されたレオナルド展（2019年10月～2020年2月）でも、《岩窟の聖母》などももちろん圧倒されましたが、未完のものが圧倒的に素晴らしくて、一番惹かれたのはドローイング。レオナルドがアンドレア・デル・ヴェロッキオの工房にいた14歳くらいのころに描いた初期の素描が天才的でした。ただ紙に鉛筆で描いただけのものがどうしてこれほどまでに人の心を動かすんだろうって、不思議なほど心が震えました。

ヤマザキ　あの時代のドローイングは、温度感があっていいですよね。長い時間を経て、一種独特の形になったことで、ある種の完成形に向かっていきます。

私も意図的に色褪せた紙にチャコール（木炭）で絵を描いたりしますが、油絵だと出せないドローイング特有のゆるみ、完成形を目指さなくてもいいという気持ちの伸びしろ感がある。ドローイングだと油絵を描くときのアグレッシブさがなくなって、描いている自分の心も安定していくんです。

原田　スケッチだからこその軽やかさがいいんですよね。

ヤマザキ　ピカソなんて恐ろしいほどの数のドローイングが残っていて、いまでは高額な値段で取引されていますが、本人はそんなこと少しも思っていないからひょろっと描いちゃう（笑）。

棟方志功《むなかたしこう》さんのお孫さんにお会いしたとき、棟方さんもすぐに描いたものを人にあげてしまうので、お客が帰ったあと、奥様が追いかけていって、「大変申し訳ないのですが」と返してもらっていたそうです。棟方さんの奥様みたいに残すために尽力した人がいないと、いまだったらすぐにネットオークションで売り出されているでしょうね。

原田　もうひとつ感動したのは、レオナルドが「名匠レオナルド」になる前に描いたドローイングに、当時から誰かが価値を見出していたこと。依頼主のために描かれた油絵だったら、代々受け継がれていくのも当然ですが、ただのぺらっとした紙でしょ。もちろんレオナルドというアーティストもすごいですが、周りに彼をすごいと思える人がいたと想像すると、人類って捨てたものじゃないなと感心します。長い歴史のなかで失われた作品もたくさんあるでしょうが、ドローイングまでも集積した場所が美術館だと思うと、美術館は奇跡的な場所です。

＊**アンドレア・デル・ヴェロッキオ**［1435年頃－1488年］
ルネサンス期のイタリアの芸術家で、数学や音楽にも精通。フィレンツェで工房を構え、レオナルド・ダ・ヴィンチなどの芸術家たちを指導した。代表作に彫刻《バルトロメーオ・コッレオーニの騎馬像》、《キリストの洗礼》など。

＊**棟方志功**［1903－1975年］
青森県出身の版画家。ゴッホの絵に影響を受け、画家を志す。1956年に開催のヴェネチア・ビエンナーレで、日本人として初めて国際版画大賞を受賞。代表作に《湧然する女者達々》《東海道棟方板画》など。

ルネサンス期はみんなバックパッカー

原田　レオナルド展では、鏡文字で書かれた彼の手帳が展示されて、これもまた面白かったですよ。

ヤマザキ　天才の奇癖みたいに言われてますけど、あれって左利きの子どもにもよく見られる傾向ですね。うちの子どもがそうだったので、無理矢理直しました。それからレオナルドについては、人の悪口ばかりが書かれているあの手帳も残ってますよ（笑）。ボッティチェッリのことをデブのメロンなんて書いていて、きっと工房で一緒だったときに気に入らなかったんでしょうね。レオナルドが現代にいたら、SNSとかやってそう。

原田　インスタ映え、なんて思いながら、自分の絵をアップしてたり（笑）。エゴサーチしてそう。

ヤマザキ　レオナルドはフィレンツェ郊外のヴィンチ村出身で、ボッティチェッリのパトロンだったロレンツォ・デ・メディチを中心としたフィレンツェっ子たちの集まりに入っていけなかったんです。自分の居場所を探し続けてはいても、そもそも彼には集団への帰属的な意識がないので、ある種、孤独と仲良しだった人。そういう意味もあってレオナルドは、いつも妬みややっかみの対象になっていたように感じます。

原田　レオナルドは卓越した技術を持っていましたし、孤高の存在ではありますが、いわゆる変人だったとも言えますよね。

ヤマザキ　レオナルドのような人たちが社会のなかに溶け込めていたのが、ルネサンス時代の良さで、極端な話、あの時代は変人だらけですからね。どうかしている人たちの集まりをおおらかに包括できる寛容性があったと思うと、ルネサンス期はそれはそれで羨ましいです。

原田　あれをやってもいい、これをやってもいいと、彼らをサポートする経済的なパトロンがいたというのも大きいですね。

ヤマザキ　これだけお金があるから、好きなことをやってみなさいっていうね。日本のバブル期もバックパッカーで旅する子が多かったのは、「失敗、困難、ウェルカム！」みたいな心のゆとりがあったからでしょう。あのころは未来にはいいことしかないと、漠然と信じているような人たちがたくさんいました。いまは世知辛い時代だから、失敗しない、人から批判されない方向にばっかりいってしまう。そう考えると、ルネサンス期のヴェネチアなんてほんとうに裕福な時代で、若者たちはバブルのバックパッカー的意識が旺盛だったかもしれませんね（笑）。

＊**ロレンツォ・デ・メディチ**［1449－1492年］
イタリア、フィレンツェの富豪。コジモ・デ・メディチの孫にあたり、メディチ家最盛時の当主。政治的手腕をふるう一方、文芸・美術のパトロンとしても知られ、ルネサンス文化に大きく貢献した。

画家だからこそ感じる、時代を超えた嫉妬

ヤマザキ　画家を志してフィレンツェに留学していたころは、ほんとうに食べるものがなくて、私の様子を見に来た母が、「ほら、やっぱり『フランダースの犬』みたくなってるじゃないの」と笑っていたほどでした。でも若かったですからね。こうやって苦労しながらも残した絵が認められたころには、自分は生きていないかもしれないけど、作品を生むというのはそもそもそういうことだと、絵画の道を選んでしまった心が揺らがないよう自分を励ますのに毎日必死でしたね。

原田　いばらの道だとわかっていても、画家になることを選ばれたんですね。

ヤマザキ　そうです。それはもう覚悟のうえで。「世の中には、金に換算できなかろうと、やらねばならぬことがある！」という信念があったんですが、実際貧乏暮らしは辛さの極致でした。フィレンツェの美術館やギャラリーに行くと、パトロンがいて工房からお金をもらい、生活の保障を得ながら絵を描ける時代があったことが羨まし

くてならなかったです。日本の高校を途中でやめさせられてフィレンツェへ留学すること自体ハードルが高かったのに、画家になるために私はこんな思いまでするのかって、500年前の画家たちに嫉妬したほどです。絵を生業《なりわい》にしても、ごはんを食べられ家賃も払えるなんて、どうしてそんな素晴らしい時代がいまも続いていないのかとつねづね悔しかった。

原田　ルネサンス期から時代が19世紀末に移ると、印象派、ポスト印象派の画家たちは、また食うや食わずの時代に入る。ゴーギャンも「祝宴か餓死か」という言葉を残していますね。

ヤマザキ　貧乏も洒落にしながら画家であることを楽しめればよかったんでしょうけど、お腹がすくとそんな悠長なことなど思えなくなります。私は幼いころから神田日勝の苦悩に洗脳されてしまっていますから、貧乏は苦痛でしかなかったですね、いまでこそ笑いのネタにしていますが（笑）。

第5章

マニアックな情熱ゾーン

ルネサンス期の輝きが日本へ

原田　ルネサンス期は経済的にも文化的にも花開いた時代ですが、日本にもルネサンスの輝きが伝わってきたんじゃないかなと思っています。そんな私の妄想から、《風神雷神図屏風》を描いた俵屋宗達の半生を、安土桃山時代を舞台に小説『風神雷神』で書きました。マリさんに新聞連載の挿絵を描いてほしくて、一度依頼をしました。

ヤマザキ　あのときはほかの仕事でスケジュールが厳しくて、お引き受けできず申し訳なかったです。俵屋宗達は大好きで、学生時代に油絵で模写したくらいなので、お受けしたかったのですが。

原田　いえいえ、『風神雷神』を書いた結論としては、マリさんをあのとき巻き込まなくてよかった（笑）。新聞連載はほんとうに大変で、もし巻き込んでいたら、一緒に討ち死にしていました。

ヤマザキ　新聞連載はほんとうに大変ですもんね。『風神雷神』にはミケランジェロ・メリージ・ダ・カラヴァッジョも登場するんですよね。

原田　安土桃山時代は日本でも特殊な時代で、日本のルネサンスと言われています し、イタリアのルネサンス期と時代も近く、16世紀から17世紀くらいの後期ルネサンスとバロックの時代と重なっています。

俵屋宗達は生没年すらわかっていない謎の多い画家で、《風神雷神図屏風》を見るとものすごく筋骨隆々に神々が描かれている。当時の日本画で、神の姿を肉体美を強調して描かれたものは見当たらないんです。

ヤマザキ　アカデミア時代に授業で、《風神雷神図屏風》を模写したことがあります。日本画でありながら、ヘレニズムテイストの肉感的体つきだったのが印象深かったです。

原田　細見美術館の館長・細見良行さんとお会いしたときに、ヴァチカンのミケランジェロの《最後の審判》を見て《風神雷神図屏風》を思い出し、俵屋宗達はルネサンスを見たとしか思えないとおっしゃっていました。『風神雷神』は、実はその会話からアイディアをいただいた荒唐無稽な話ではあるんですが、俵屋宗達が生きた時代背景を調べていくと、ちょうど天正遣欧少年使節《てんしょうけんおう》がローマ教皇に謁見に行ったころと微妙に重なるんです。しかも使節団のイタリア巡行を調べると、10日間だけミラノに滞在していた。今度は、宗達と同時代のカラヴァッジョのことを調べてみると、使節団がミラノに滞在していた期間、14歳だった彼がちょうどミラノの工房にいることがわかって、「誰も気づいていないけど、見つけた！」って思いました。私の小説のためにカラヴァッジョはミラノの工房にいてくれたんだなって（笑）。

ヤマザキ　資料に当たっていくうちに、自分の妄想がマッチングしたときはめちゃくちゃ嬉しいですよね。これは「書きなさい」っていう神様のお告げなのかな？　なんて思うほど（笑）。

私も漫画に描いてしまいましたが、ダ・メッシーナとレオナルドが同時にフィレンツェにいる時期があったことがわかり、二人を勝手に接触させてしまいました。レオナルドがどこで油絵を学んだのか、いろいろな可能性がありますが、ダ・メッシーナがヴェネチアのある人物から頼まれた絵を描いた時期と、レオナルドが《ジネーヴラ・デ・**ベンチの肖像**》を描いたときがシンクロするんです。『テルマエ・ロマエ』を描いていたときも、偶然を見つけるたびに、妄想を膨らませまくってました。

＊**俵屋宗達**［生没年未詳］
江戸時代初期の画家。京で「俵屋」を屋号とする絵屋（工房）を主宰した。国宝《風神雷神図屛風》《源氏物語関屋・澪標図屛風》のほかに、扇面画や金銀泥の下絵、《蓮池水禽図》といった水墨画も制作した。

＊**カラヴァッジョ**［1571－1610年］
バロック期のイタリア人画家。写実描写とコントラストの強い明暗法による絵画表現は、バロック美術に大きな影響を与えた。代表作に《奏楽者たち》《トカゲに嚙まれた少年》《ロザリオの聖母》などがある。

最後の審判
提供:akg/アフロ

＊**細見美術館**

実業家・細見亮市氏より3代にわたって収集した東洋古美術品を展示するため、1998年に京都に開設された美術館。古墳出土品から平安時代の仏画、琳派や伊藤若冲など江戸時代の絵画に至るまで、日本美術のさまざまな分野のコレクションが魅力。

つくり手の熱意が心を揺さぶる

原田　ターゲットにしているアーティストが何年何月何日になにをしていたか、そのときこっちのアーティストはどうしていたのか、資料にあたり取材をしていきますが、そのカードとカードがぴたっと合わさって、ある事実と事実の狭間が見えたときは感激します。

ヤマザキ　『テルマエ・ロマエ』を描いたときに、歴史家の先生たちが「研究者ではないヤマザキさんは、いかようにも好きなように史実の合間を妄想でアレンジできて羨ましい」とおっしゃっていたことがあります。

原田　研究者というお立場だから、専門家の方々は史実に基づいて裏付けがとれた論文を発表されていますが、みなさん、実は研究者だからこその妄想がたくさんあるんですよね。最初は、こんなことを小説で書いたらきっと専門家の方に怒られるかもしれないとドキドキしていましたが、研究者の先生たちにはほんとうに申し訳ないほど、小説というフィクションのもとで自由に書かせていただいています。

ヤマザキ　先ほど言いましたけど、ヴァザーリだってコルネリウス・タキトゥスだって、歴史家ですら自分の妄想を込めて書いていますし、既成事実は既成事実として、きちんと認識しておきながら、でも「自分としてはこうだったら面白いと思う」という妄想を、小説や漫画のなかでは描きたいですよね。『テルマエ・ロマエ』でハドリアヌス帝の時代を舞台にしていますが、浴場を専門とする設計技師ルシウス・モデストゥスなんて実在したはずがなくて、誰にもわからない部分をいくらでも好きなように描けるのが、歴史もの、特に古い時代を題材にした創作の良さでもあります。

原田　古代ローマをもっと遡ると、まったくの未知の領域ですもんね。『テルマエ・ロマエ』を初めて読ませていただいたとき、もうツボにハマりすぎて、涙が出るほど笑いました。こんな爆走妄想漫画を描くとは、ヤマザキマリって何者？　って（笑）。

読者の中にも妄想している人はたくさんおられるでしょう。ただ、それをどう表現したらいいかわからないだけで。そんな方たちに『テルマエ・ロマエ』は受け入れられたんじゃないでしょうか。

ヤマザキ　『テルマエ・ロマエ』を描いた当時、私はポルトガルのリスボンでお風呂のない家に住んでいたんです。でも、それまで暮らしていた中東にしても、イタリアにしても、ポルトガルにしても、古代ローマ遺跡に赴くとお風呂の跡がいくつも残っていて、タイルがポセイドンだったりしちゃって、カッコーンと桶の音がそこらあたりから響いてきそうな雰囲気なんですよ。そんなお風呂への渇望が溜まっていたんでしょうね、家でアイロンがけをしていたら急に、日本の銭湯からローマ人が出てくるシーンが思い浮かんで（笑）。

お風呂に入っているおじいさんの絵を描いたら自分自身が癒されることもわかり、そうか、こういうおじいさんがたくさん出てくる話を描けば楽しそうだと思ってスタートしたのが『テルマエ・ロマエ』なんですよ。

原田　どういう発想から生まれたんだろうとずっと思っていたので、そのお話が聞けてすごく嬉しいです。

ヤマザキ　ラスコー洞窟の壁画に捕まえてきた獲物をみんなで描いたのと同じで、私は入りたいお風呂を絵に描いたら、ああなったっていう。渇望は大事ですね（笑）。

日本だとどうしても、ローマ時代の話は中高年のおじさんが好むような小難しいイメージがありますが、お風呂という身近なものを切り口にぐっと敷居を低くして物語を描いたことで、こんなにもローマ時代が面白いんだということが、みなさんに少なからず伝わったように思います。

原田　『テルマエ・ロマエ』のなにが素晴らしいかって、スケールが大きいのか小さいのかわからない話なんですよ。ローマ時代という人類史的に重要な時代を舞台に選びながら、お風呂の話ってめちゃめちゃ小さいじゃないですか（笑）。お風呂上がりにフルーツ牛乳を飲むとか、ひとつひとつのシーンが日本人に馴染みがあります。

ヤマザキ　それと海外に暮らしていると時々思い出す、日本の隙間産業を描きたかった。

シャンプーハットとか（笑）。

原田　それなのにハドリアヌス帝が出てくるなんて、マクロとミクロがありえない形で合体しています。

美術史をやっていた私もそうなのですが、美術史家って話が大きくなりがちじゃありませんか？　つい人類４０００年の歴史うんぬんとか考えてしまう。大河のような人類史のなかで、壺をつくったり、勾玉《まがたま》をつくったり、小さな生活をしていた個人がいたことを想像してしまうんです。

ヤマザキ　「リ・アルティジャーニ」で登場させた画家たちも、彼らは自分たちがマニアックに熱中できることを追求しているだけで、特別なことをやっているなんて微塵も思っていません。後世で彼らの功績は重大なものとして扱われることになりますが、本人たちにとってはたいした問題じゃないんですよね。

原田　そんな未来が待っているなんて、彼らは知らないわけですしね。

ヤマザキ　私だって『テルマエ・ロマエ』を描いているときは、まさかヒットするなんて思ってなかったですもん。担当編集者から、この漫画を読むのは全国で多くても500人くらいだろうな、なんて言われて（笑）。でも私たちが面白かったらもうそれでいいよなって、最初からもうかなり消極的。

原田　『テルマエ・ロマエ』はいままで読んだことがないタイプの漫画で、とても個性的でした。アート表現は前例がないところに踏み込んでいくことが重要で、特に現代アートだと誰かに似ていると思うような既視感のある作品はいくらでもあります。

マリさんのお描きになった『テルマエ・ロマエ』を読むと、この作者はローマがそうとう好きで、イタリア史に精通していることが伝わってくる。私も美術史をベースにしたフィクションを書いていますが、ほかの作家の方と自分が違うと思えるのは、美術史に関して普通よりはちょっとだけ詳しくて、そこにとことん自分の興味があるというところ。そこに関しては絶対に個性的だという自信がありますし、表現の強みになるわけです。

ヤマザキ　熱くなにかを語っている姿に打たれて、聞いているほうも引き込まれていくことってありますよね。人に受け入れてもらえるもの、売れるもの以前の問題で、その人がマニアックで情熱を持っているというだけで、人は魅了されます。

よく子どもを本が好きな子に育てるにはどうしたらよいでしょうか？　という質問を受けるんですが、それはまず親が本を好きになることでしょうね。それしかないと思います。私も熱心に新聞や本を読む母親が、ニュースに怒ったり本を読みながら笑ったりしている姿を見て、ごく自然と活字に興味を持つようになりました。

やがてつくる側になってみてわかったのは、作品だって、小説だって、つくり手の熱意が伝わらないとダメなんです。それこそウッチェロの幾何学模様じゃないですけど。

原田　またそこに戻ってきちゃいますね。じゃあ私たちのシャンプーハットは、幾何学模様でいきたいですね。ヤマザキマリ・プロデュースのウッチェロ・シャンプーハット（笑）。ほしいなあ。

ヤマザキ　それはいいですね、普及させたいな（笑）。

＊**コルネリウス・タキトゥス**［55年頃－120年頃］

ローマ帝政期の歴史家。貴族の出で、政治家としても官職を歴任した。帝政史を綴った『同時代史』『年代記』の部分や、『ゲルマニア』などが現存する。

＊**ラスコー洞窟の壁画**

フランス南西部のラスコー洞窟に旧石器時代に描かれた壁画。馬・牛・狩猟場面などが彩色されて描かれている。土地の少年によって1940年に発見された。スペイン北部のアルタミラ洞窟壁画とともに世界遺産に登録されている。

妄想が掻き立てられる邸宅美術館

ヤマザキ　17歳でイタリアに留学したとき、ヴェネチアで最初に行ったのが、アカデミア美術館でもサン・マルコ大聖堂でもなく、ペギー・グッゲンハイム・コレクションだったんです。ペギー・グッゲンハイム・コレクションはもともとはペギー・グッゲンハイムの別荘で、こんなふつうの家が美術館になりうるんだととても羨ましかった。
いまでもヴェネチアに行くたびに、なんとはなしに立ち寄っています。少年が馬に乗っているマリノ・マリーニの彫刻が飾られている庭の向こうに、船が行き交う運河が見えたりと、特別な空間なんですよね。

原田　古式ゆかしいヴェネチアの街のなかに、ふっとモダンな佇まいがある美術館ですよね。アレクサンダー・カルダーのモビールが天井からぶら下がってたり、私もペギー・グッゲンハイム・コレクションは大好きですね。

ヤマザキ　ペギー・グッゲンハイムが寝ていたベッドがそのまま残っていたり、人様の家に入って、その人のマニアックな側面を見てしまったような感覚は、厳かな造りの美術館を訪れるのとは違うときめきがありますよね。

原田　ベッドルームなんてすごく私的な空間で、オーナーが生きていたら絶対入れてもらえないところですもんね。

ヤマザキ　東京の品川にあった原美術館も、もともと人が実際に住んでいた家を美術館にしていましたね。

原田　残念ながら原美術館はクローズしてしまいました。

マリさんはご自身のクリエイションのなかで妄想の力を大事にされていると思うんですが、私もめちゃめちゃ妄想するタイプなので、ああいう邸宅美術館が好きなんですよ。

ヤマザキ　こんな広いベッドなら3人は眠れそうだなとか、どんな寝巻き着てたんだろうかとか（笑）、まさに妄想ですよね。

原田　マリさんの創作の源がペギー・グッゲンハイムから始まっていたとしたら、

LA FRANCE A VENISE

ペギー・グッゲンハイム・コレクション
提供:SIME/アフロ

やっぱりマリさんは私と近いところにいるんだなあ。

ヤマザキ　思い出の美術館をまとめたときは、うっかりペギー・グッゲンハイム・コレクションのことを忘れていたんですが、マハさんにお会いしたら突然、思い出しました。

原田　マリさんにお会いするので、今日はメディチ家をイメージした服を選んできたんです。その効果があったのかもしれませんね（笑）。

パリにも素晴らしい屋敷を美術館にしているところが多いですが、たとえばヴェルサイユ宮殿も、立派な邸宅美術館、というか宮殿美術館。ニューヨークのメトロポリタン美術館に行くと、18世紀の貴族の邸宅を再現した部屋があったりして、邸宅のなかに溶け込んでいるアートを体感できます。

ヤマザキ　絵を主役に展示するのもいいですが、もともと誰かの家に飾られることを想定して描かれた絵画だからこそ、邸宅をイメージした展示の仕方をすると、環境と合わさって完成形になるところがありますね。

＊**ペギー・グッゲンハイム・コレクション**

アメリカのアートコレクター、ペギー・グッゲンハイム［1898－1979年］の収集品。彼女はシュルレアリストのマックス・エルンストの3人目の妻でもあり、20世紀前半の美術品が一堂に会する。イタリア・ヴェネチアの運河、カナル・グランデ沿いにある邸宅は18世紀の建設で、彼女の死後、1980年より美術館として公開された。アメリカ・ニューヨークにある「グッゲンハイム美術館」は、彼女のおじソロモン・ロバート・グッゲンハイムが1936年に設立したもの。

＊**マリノ・マリーニ**［1901－1980年］

イタリアの彫刻家、画家。美術学校で教鞭をとるかたわら、馬と騎手をモチーフとした彫刻を手がけ、のちに版画も数多く制作した。代表作に《馬と騎手》、リトグラフ《緑の背景の騎手》など。

＊**アレクサンダー・カルダー**［1898－1976年］

アメリカの彫刻家。1932年に発表した電動モーターで動く抽象彫刻は、デュシャンによって「モビール」と命名され、翌年には風の流れによって動くモビールを発明。限られた原色を使用した金属片を針金と糸でバランスよくつなぎ、彫刻に動きをとりいれた。主な作品に《人》《カルダーのサーカス》などがある。

＊**原美術館**
実業家・原邦造の邸宅を活用し、1979年に原俊夫が開設した私立美術館。現代美術を中心としたコレクションを多く有していたが、老朽化のため、2021年1月に閉館。群馬県渋川市に姉妹館「ハラ ミュージアム アーク」がある。

意識を絵に集中しないと見られない

ヤマザキ　妄想を掻き立てられる邸宅美術館もいいですが、大英博物館やナショナル・

ギャラリーのような大規模な美術館も胸がときめきます。

原田　忘れられない美術館の思い出はありますか？

ヤマザキ　一番、圧を感じたのは、フィレンツェに留学中に行ったピッティ宮殿ですね。パラティーナ美術館に天井まで壁一面にびっしりと絵が飾ってあって、私はトライポフォビア（集合体恐怖症）なんですが、見ていると気を失いそうになるくらいの集合体状態なんです。そんな絵が密集したなかのひとつに、ラファエロの《小椅子の聖母》があるのを見つけて、西洋ではこんな絵の見せ方をするのかとびっくりしました。

原田　ぜったいに隙間を作っちゃいけないと思っているかのように、壁を埋め尽くした絵があるなかに、ラファエロがぽっと嵌め込まれているんですよね。

ヤマザキ　もっと広い場所にひとつだけ置くべき作品であるはずなのに、その他大勢のなかに紛れ込んでいたのが意外でした。

原田　日本だったらこの絵をメインに展覧会がひとつ作れるくらいの作品なので、私は初めて見たとき「もったいないなあ……」と、なんだかありがたみがなかった記憶があります。

ヤマザキ　ローリング・ストーンズのライブを見に行ったら、ストーンズほど有名じゃないけど、十分に魅力的なミュージシャンが一緒にステージに上がっちゃってる感覚に近いです（笑）。

原田　こっちにピンク・フロイドがいて、あっちにはビートルズ。で、ぜんぶスーパースターという。

ヤマザキ　模写しようと思って美術館に行ったのに、こんなんじゃ目移りしちゃうし、お客様も多いし、フィレンツェは美術館もハードル高いわーって気分になるんですよ。こちらから一枚の絵に集中しないと、まわりの絵に意識が取られてしまって。

イタリアの美術館は日本とは違って、倉庫に絵を置かないようにしているんでしょうか。

原田　見せられるだけ全部出しちゃえってくらい膨大な量が展示されていますもんね。ウフィツィ美術館でもたくさんの絵のなかに、はっと気がつくとボッティチェッリの絵があったりしますもんね。

日本でも奈良の興福寺などは、国宝の仏像たちが入り乱れていて、こんな贅沢なフェスがあっていいのかなって感じがします。

＊大英博物館
1759年に一般公開されたイギリス・ロンドンにある世界最大級の博物館。古今東西の古美術品など約800万点が収蔵され、うち約15万点を常設展示している。サウス・ケンジントンには、自然史に関係する収集物を独立させた分館・自然史博物館がある。

＊ピッティ宮殿
イタリア・フィレンツェにあるルネサンス様式の邸宅。かつてはコジモ・デ・メディチに始まるトスカーナ大公の宮殿として使用された。アルノ川の西岸に位置し、〝ヴァザーリの回廊〟を通じてウフィツィ美術館と結ばれている。約400年にわたり、メディチ家を中心として収集された絵画や宝飾品をコレクション。巨大な宮殿の中には絵画を中

心としたパラティーナ美術館、近代美術館のほか、銀器博物館、衣装博物館、陶磁器博物館、馬車博物館などのギャラリーや博物館がある。

＊**パラティーナ美術館**
ピッティ宮殿内にある国立美術館で、ピッティ美術館とも呼ばれる。ラファエロ《大公の聖母》《小椅子の聖母》や、ティツィアーノ《悔悛するマグダラのマリア》などの名画を多数、所蔵する。天井や壁に美しいフレスコ画が描かれている。

＊**興福寺**
奈良県奈良市にある法相宗の大本山の寺院で、南都七大寺の一つ。多くの仏像をガラスケースなしで見られる国宝館では、国宝《阿修羅像》などが所蔵されている。

小椅子の聖母

提供:akg/アフロ

マハ的好きな作家ベスト10

◆フィンセント・ファン・ゴッホ

長らく気になりながらもなかなか近づけずにいた画家。作品のすごさはもちろんのこと、最後は自死に至る壮絶な人生のほうにやたら注目が集まって、神話の檻《おり》に閉じ込められていた彼が痛々しくもあり、下手に手出ししたら火傷をするとわかっていた。「画家である」ということ、そのどうしようもなさをタブローにぶつけるように描いた、世界初の表現主義的アーティストだと思う。

◆クロード・モネ

作品を見ているとそこはかとない幸福感に浸ることができる稀有な画家。しかしその人生は波瀾万丈で、必ずしも最初から成功していたわけではない。どんな苦悩があってもそれを絵には表さなかったところに、彼の画家としての執念と矜持がある。ジヴェルニーのモネの家は私のフランスの実家みたいなもので、ことあるごとに訪れている。

◆ポール・セザンヌ

「りんごひとつでパリをあっと言わせる」と宣言し、その言葉通りに繰り返しりんごや故郷の山を描き続けた。独特の手法と絵画解釈を持ち、頑固に自分の信念を曲げなかった。私はなかなか彼の良さがわからなかったが、ロンドンで大回顧展を見たとき、セザンヌの絵に囲まれて、空間全体をすっかり変えてしまうほどの磁場をつくり出すすごさがわかった。

◆ポール・ゴーギャン

ゴッホとセットで見られることが多いのが残念なほど、卓越した技術と構成力、ユニークな主題を持ち得た画家。19世紀末、群雄割拠だったパリのアート界から距離を置き、誰よりも自由に先を行きたいとタヒチを目指したのも興味深い。孤高で、崇高な画家である。

◆パブロ・ピカソ

子どもの私にライバル視をさせるほど、強い磁力で万人を惹きつけるのは天才ゆえ。実はレオナルド以来の500年にひとりの逸材とは彼のことではないかと思う。驚くべき生命力で描き続け、新しい手法に常にチャレンジし、いかなる批判をも恐れなかったアート界の革命家。「アートで戦争と闘う」として描いた《ゲルニカ》は世界史に残る反戦のマニフェストとなった。

◆アンリ・マティス

鮮烈な色彩と極限まで単純化されたフォルムは、ピカソ同様、20世紀の絵画革命の引き金となった。彼の絵には音楽があり詩情が溢れているからか、見つめているとその世界の住人になり、なんとも言えぬ幸福感を味わうことができる。好きなものを好きなように描く、それでいて破綻せずに美しいのがマティスの絵である。

◆レオナルド・ダ・ヴィンチ

人類に与えられた最高の宝。もしもレオナルドの出現がなかったら、人類史が変わったのではないかと思う。画家、職人、プロフェッショナル……どれも当てはめられない。レオナルド・ダ・ヴィンチという概念でありジャンルであり美術用語。比類なき天才。彼に続くのは500年後に出現したピカソだと思っている。

◆ジョルジョ・モランディ

淡々と描かれた静物画は、全部同じように見えて全部違っている。彼の絵のなかの壺や瓶やコップは一つひとつに個性があり、肩を寄せ合う様はまるで人間同士の寄り合い。彼の絵を見ているとなんとも言えぬノスタルジックな気持ちになり、いつまでも一緒に暮らしたいと思えてくる。普遍的な親しみを与えてくれる幸福な画家。

◆俵屋宗達

当時隆盛を極めた狩野《かのう》派に対抗するかのように、まったく独自の手法と視点でやまと絵に革新をもたらした。彼が生み出したとされる顔料を紙に垂らしてかすれさせる技法「たらしこみ」は、20世紀のジャクソン・ポロックの出現を早くも予期しているかのよう。見切りの構図は画面に奥行きと動きを与え、動画のようにすら見える。安土桃山ルネサンスが生んだ風雲児。

◆東山魁夷

いまでは国民的画家となった東山魁夷は、若いころから才能を認められながらもなかなか芽吹くことができなかった。生きるか死ぬかの瀬戸際を戦時中に体験し、そのときに出会った風景をその後の画家人生に活かし切って、結果的に大輪の花を咲かせた。だからなのか、彼の風景画には人間の姿がなくても人の優しさのようなものが漂っている。自然と人が出会って初めて「風景」が生まれる、その奇跡を魁夷は生涯をかけて描き続けた。

マリ的好きな作家ベスト10

◆ジョット・ディ・ボンドーネ

後期ゴシック時代、イタリア・ルネサンスへの先鞭《せんべん》を付けたと言われる重要な画家。イコンなどそれまで極めて記号的なフォーマットを守っていた絵画界において、人物の顔に情緒的表情や、顕著な躍動感を表した体の動きなど、要するに現代で言えばアニメーションの発明くらい画期的なことを成し遂げた人と言っても良いかもしれない。ちなみに私がパドヴァに暮らす一番の自慢は、ジョットが手掛けたスクロヴェーニ礼拝堂が徒歩圏内にあること。

◆アントネロ・ダ・メッシーナ

フランドル絵画の影響による精緻で妥協のない写実力にイタリア式の温度感と、人間への寛容な好奇心を重ねたダ・メッシーナの描く肖像画は唯一無二。私が最も敬愛する画家。でも一番好きな作品は《書斎の聖ジローラモ（ヒエロニムス）》。空間の構成と言いミステリアスな動物たちや小物の配置も含めて、絵画とは描く側と見る側の相互作用によって完成するものだという概念を感じさせられる作品。自分も死ぬまでにこんな絵を描きたい。

◆ヤン・ファン・エイク

人生で初めて油彩で描いた模写がこの画家の《赤いターバンの男》。アカデミアの先生に模写の候補をいくつか出され、「この中で一番やりたくないものは」と聞かれて答えたのが、赤い布の描写と自画像である被写体の表情が難しいこの作品で、結局これを描かされた。現代におけるカメラなどの映像機器よりも、鋭利に物質を捉えるヤン・ファン・エイクの視点と超絶技巧に、絵描きという職業が生半可なものではないことを痛感させられる。

◆パオロ・ウッチェロ

描いた絵をどう人に評価されるかということよりも、被写体や技術の可能性に心を奪われてしまい、一つのことに集中し始めると他のことは一切眼中に入っていなかったと思われる愛すべき画家ウッチェロ。ハイスペックな好奇心や集中力というのはそもそもこういうことなんだと思うし、流行や物真似に妥協できなかったこの人もまた紛れもないルネサンス人なのだ。

◆ピエロ・デッラ・フランチェスカ

ルネサンス期において、遠近法など絵画における数学性を具体的に見出した最初の一人。ウッチェロの後輩だが、美術史上彼ほど熱心に、また徹底的に数学や幾何学の研究をした画家はいないと言われている。絵画だけではなく、研究論文も何冊か出しているが、画風にはウッチェロのような緩さはまったくなく、精緻で隙がない。かなり学者肌な画家だったことが想像される。

◆ジョヴァンニ・ベッリーニ

ヴェネツィア派第一世代に属するジョヴァンニ・ベッリーニの作品には、油彩による温もりのある人間描写と、資本的な豊かさのもたらす優美さと研ぎ澄まされた知性が感じられる。写実のタッチに北方系の影響が感じられるが、１４７４年ごろにはヴェネチアを訪れていたダ・メッシーナと何らかの交流があったとされていて、油彩や画報によっての情報交換などがあったと考えられる。残されている自画像や絵柄から、真面目かつ実直そうな人柄がうかがえる。

◆ヴィットーレ・カルパッチョ

カルパッチョという薄切りにした生肉料理の名前の由来と言われる、ヴェネツィア派のおしゃれ番長。当時の絵画はいまで言うファッション誌などの要素を兼ねてもいたが、カルパッチョほどマニアックに、男性の服装のディテールに細かくこだわった画家は他に思い浮かばない。しかもどれもこれも本当におしゃれで、イタリアがその後ファッションの発信地となっていくその魁《さきがけ》をこの人の絵画から読み取ることができる。

◆アンドレア・マンテーニャ

私の暮らす、旧ヴェネチア共和国属領パドヴァ近郊にある小さな村で生まれたパドヴァ派の画家。ジョヴァンニ・ベッリーニの姉と婚姻したことで、この二人は親族となっている。卓越した画力と厳格、かつ大胆な遠近法を駆使した作品は独特で、レオナルド・ダ・ヴィンチと同じく一定のグループに帰属しない孤高の変人型天才。魅力的な人物を描く画家だが、私は基本的に人間至上主義的な捉え方ではなく、観察眼と洒落の眼差しを持った画家が好きらしく、マンテーニャはまさにその括りの中の大事な一人。油絵が一世風靡していたヴェネチア派と接触していながら、生涯油彩で絵を描くことはなかった捻《ひね》くれ者。

◆エドワード・ホッパー

学生時代アメリカン・ニューシネマにハマっていたことがあるが、ホッパーはそのころ友人から画集をもらって好きになった画家。アメリカの光と影、都会における孤独と大自然の空気というまったく違う二つの側面の表現が素晴らしい。ホッパーの絵もまた、人間と人間社会の観察記録的な要素が強く、母親の実家がある東京と彼女の移住先の北海道を行き来して育った私の琴線に強く触れるものがある。

◆ジョーダン・ベルソン

音楽を生業《なりわい》とする友人から紹介されたアメリカ人の映像作家。コロナでイタリアへ戻れなくなり、物理的移動が叶わずすっかり意気消沈していたときに、この人の作品を見て、強い衝撃を受けた。音は絵であり、絵は音だと捉え続けている私は、絵を描くときも漫画を描くときも音楽が欠かせないが、ジョーダン・ベルソンの世界はまさにその二つのコンテンツが美しく、かつドラマティックに融合されている。特に気に入っているのは、１９８４年制作のリストの楽曲で展開される《Fountain of Dreams（夢の泉）》。

第6章

心ゆさぶるアート空間

未完の作品を集めた美術館

原田　マリさんと私のダブル館長で、世界中の不完全な作品を集めて展示する「不完全美術館」とか、つくってみたいですね。ゴッホの取材でアルルに行ったときに、レアチュー美術館でバロック後期に活躍したジャック・レアチューが、途中で描くのをやめた壁画が展示されていました。レアチュー美術館はもともと貴族の館で、貴族からオーダーを受けて描いたものが多く残っているんですが、未完の作品が衝撃的に素晴らしかった。日本ではあまり知られていないレアチューに、描きかけでこんなに魅力的な絵があるのかと、未完の作品に興味を持ちました。ローマ時代の作品でも不完全な作品は、なにかありますか？

ヤマザキ　古すぎると経年劣化で色が剝げてきてしまったり、未完かどうかの判断がつかないんですよね。ローマ時代は芸術家というよりも職人の仕事なので、ちゃんと作品を完成させてくれないと成立しないところがあります。途中で作者が亡くなって完成しなかった例で言えば、マサッチオが手がけたブランカッチ礼拝堂は、未完でしたね。

原田　あれも未完だったんですか？

ヤマザキ　そうです。依頼者との金銭トラブルが原因だという説がありますが、とにかく制作を途中でやめてしまった。マサッチオの死後、何十年かしてから、フィリッピーノ・リッピが仕上げたんです。自分の父親（フィリッポ・リッピ）に影響を与えた画家の絵を、フィリッピーノ・リッピが完成するなんてドラマティックですよね。

原田　すごいコラボレーションですね。ヴァチカン宮殿にあるシスティーナ礼拝堂はどうですか？

ヤマザキ　ミケランジェロの天井画をはじめ、ボッティチェッリなどフィレンツェからの派遣団の絵もたくさんあって、本当にお腹いっぱいになる美術館です。ミケランジェロと言えば、彼の作品は晩年が近くなるにつれて抽象性が増していき、どんどん現代アートのようになっていますが、あれらも要するに未完。顔の部分がぜんぜん彫り出せていなかったりするんだけど、それはそれで私は好きですが。

原田　メダルド・ロッソやロダンのようにも感じられますよね。ロダンは石から人体像を彫り出したとわかる手の軌跡を残すじゃないですか。自分の手の軌跡を残すというのは、現代的でモダンな考え方で、本来なら、職人仕事は自分の手の跡を残さないというのが普通です。

ヤマザキ　メディチの時代までは画家も彫刻家もサインなんてしてませんからね。

原田　コンプリートしなかったら納品できないですもんね。クライアントに満足してもらえなかったら、失敗作になっちゃう。

＊**レアチュー美術館**
フランス・アルルにある美術館。1868年設立。もともとは15世紀のマルタ騎士団修道院だった。アルル出身の画家ジャック・レアチューの作品を中心に、プロヴァンス派の絵画や彫刻、ピカソのデッサン、現代の写真アートなども展示されている。

＊**ブランカッチ礼拝堂**

フィレンツェのサンタ・マリア・デル・カルミーネ聖堂の右翼廊にある礼拝堂。マゾリーノの《原罪》、マサッチオの《楽園追放》などの壁画で知られる。

＊**ヴァチカン宮殿**

世界最小の独立国家、ヴァチカン市国の中心建築。サン・ピエトロ大聖堂に隣接し、部屋数は1000を超える。ローマ教皇の住居はごく一部で、大部分は公開されている。ヴァチカン博物館として、ラファエロが描いた天井画も見学でき、ルネサンス・バロック期の作品を集めた絵画館、古代ギリシャ、ローマ時代のコレクションを集めた美術館などがある。

＊**システィーナ礼拝堂**

ヴァチカン宮殿にある教皇の礼拝堂。ミケランジェロ、ボッティチェッリなど、盛期ルネサンスを代表する芸術家たちが描いた装飾絵画作品を多数有する。とくにミケランジェロの《最後の審判》が有名。

＊**メダルド・ロッソ**［1858－1928年］

イタリアの彫刻家。ロッソの作品は「印象主義的彫刻」と評され、明確な輪郭線を持たない彫刻作品を発表した。生涯で残した作品は40数点と少ない。代表作に、《病める子》《ヴェールをまとった女性》などがある。

＊**オーギュスト・ロダン**［1840－1917年］

フランスの彫刻家。近代彫刻の父と称される。日本の白樺派の作家たちと交流があり、浮世絵に関心を持っていたことでも知られる。代表作に《考える人》《接吻》《カレーの市民》などがある。

カノーヴァの気持ち悪いぶつぶつ

原田　私のなかで長い間ずっと心にひっかかっているフィレンツェ話があって……。フィレンツェのアカデミア美術館でミケランジェロの彫刻を見たんですが、ダヴィデ像に発疹みたいなぶつぶつぶつがびっしりとついてた。すごく気持ち悪くて直視できなかったんですよ。

ヤマザキ　ダヴィデですか？　ぶつぶつと言えばカノーヴァの彫刻じゃないですか？　立体感を出すために、パースとして釘を刺すんですが、カノーヴァはそのときできた跡をそのままにするんですよ。イタリア語で「カノーヴァ　ぶつぶつ」で検索してみたら、たくさん画像がでてきました。

原田　ミケランジェロじゃなくて、カノーヴァだったんですね。草間彌生《くさまやよい》さんの水玉の作品を思い出させるところがあって、現代アートっぽいんですよね。

ヤマザキ　いま思い出しましたが、私が一番こわかったのはカノーヴァの《三美神》ですね。体だけじゃなくて、顔にまでぶつぶつがあるんですよ。マハさんに訊かれるまで私の記憶から抹殺されていました。集合体恐怖症なもんですから（笑）。

＊**アントニオ・カノーヴァ**［1757－1822年］
イタリアの新古典主義を代表する彫刻家。裸体を模した大理石像を多く発表した。粘土の雛型から石膏型を取り大理石に写す独自の制作過程で、彫刻コンパスを用いて記された基点が石膏像にそのまま残された。主な作品に《ナポレオン》《ペルセウスとメドゥーサの首》《三美神》など。

＊**草間彌生**［1929年－］
日本の芸術家。絵画や立体作品の制作のほかに、過激なパフォーマンスも行い、「前衛の女王」と評される。水玉模様やかぼちゃといった同一のモチーフを用いることも多い。代表作に《集合　1000艘のボート・ショー》《南瓜》などがある。

地球滅亡のときにアートを救う国連美術館

ヤマザキ　実際に美術館をつくることを妄想したとき、豪華で大きすぎる美術館はメンテナンス費用がかかりますし、自分でつくるレベルで考えると難しいですよね。

原田　空調やセキュリティにもお金がかかりそうですしね。

実現できるかどうか別にして、私の完全な妄想として、いつかマリさんに漫画にしてもらえないかと思っていることがあるんです。早稲田大学で社会人学生をしていたとき、授業で美術館の展覧会の企画書をつくる実習があったんです。そのときとてつもない企画を考えましして。「国連美術館」っていうんです。レポートの最初に「国連美術館」というタイトルをつけて、〝20××年、地球が滅亡のときを迎え、人類と一緒に脱出する美術品を世界中から100点選ぶことになる――〟という設定です（笑）。

ヤマザキ　小説家・原田マハの原点になりそうな話ですね。

三美神
提供:album/アフロ

原田　ただの大学のレポートだったんですけど、国連美術館のための100点だけを選ぶとしたら、私だったらなにを選ぶだろうって、悶絶した記憶があります。

ヤマザキ　どうしても私的な思考が入りますし、世界中から100点だけを選ぶというのは、点数的に少ないですよね。

原田　国連美術館である以上、人類史的に見ても美術史的に見ても残すべきかどうかという視点が要りますし。

ヤマザキ　たくさんの人に支持されるような絵を残さないといけないでしょうから、私の好きなウッチェロの作品が選ばれる確率は低そうです。あんなに美術史的に大事な人はこの世にいないのに。

原田　でも遠近法に固執した人類の歴史として、ウッチェロは残そうっていう議論にはならないかな。ロケットで宇宙に飛ばすことを考えると、スクロヴェーニ礼拝堂のジョットの壁画なんて、持ち出し不可能ですよね。

ヤマザキ　大きなロケットならジョットはぎりぎり入るかもしれません。そう考えると残すということには、まず物理的な限界がありますね。どこまでの範囲で考えたらいいのかな。

原田　たとえば世界遺産は残す、という基準をつくっても、ラスコー洞窟の壁画はどうするとか、いろいろ問題が出てきそうです。

もしマリ艦長が宇宙戦艦ヤマザキを飛ばすなら、世界遺産に絞って考えても、イタリアの美術品からはたくさん選べますね。

ヤマザキ　ルネサンス期の作品以外でも、古代ギリシャ・ローマ時代の彫刻、それにナポリ国立考古学博物館にあるようなポンペイ遺跡からの発掘品も入れたいですし、私的にはやっぱり北方ルネサンスの作品も外せないですね。もうこの時点で質量的に無理そうだな。

原田　重量オーバーになってしまったら、その時点でアウトですから。でも、ピカソの《ゲルニカ》はなんとしても入れたいな。保存状態も大事ですし、古くて大きいものは載せられないと考えると、畳めたり丸めたりできる日本の作品は選びやすいかもしれません。俵屋宗達の《風神雷神図屏風》や国宝の《鳥獣戯画》ならいけそうな気がします。

ヤマザキ　イタリアに限らず、南米のサンパウロ美術館や、ほかの国にも素晴らしい作品がありますよね。

原田　ロシアやアラブにも素晴らしい美術品があると思うと、世界中に後世に残したい文化財がある。物理的にすべてを集めるわけにはいかないけど、各国の素晴らしい美術館をゆるく繋いでいるアートチェーンのような美術館があったらいいですね。仮想美術館にそれぞれの美術館からキュレーターが出向して、それぞれの企画を持ち寄って自由な展覧会を開催する。しかも世界中のアートファンやお金持ちが仮想美術館をサポートするためにデポジットをしてくれて、ファイナンシャルに困ることもない（笑）。

ヤマザキ　夢のような美術館（笑）。

原田　すべての作品を実際に見に行くこともできるし、オンライン上でも見ることができる、そんなアートツーリズムを実現した美術館があったら素敵ですよね。

＊スクロヴェーニ礼拝堂

イタリア・パドヴァにある礼拝堂。富裕な市民エンリコ・スクロヴェーニが建て、父親が犯した高利貸しの罪の償いとして、ジョット・ディ・ボンドーネに一連のフレスコ画を依頼した。

＊ジョット・ディ・ボンドーネ［1267年頃－1337年］

中世後期イタリアの画家、建築家。後期ゴシック期から活躍し、ルネサンス絵画の先駆者であり、人間性と宗教性を併せ持つ新しい表現様式を確立した。代表作に《聖フランチェスコの生涯》《洗礼者ヨハネと福音書記者ヨハネの生涯》など。

＊ナポリ国立考古学博物館

ナポリ旧市街にあり、イタリアを代表する考古学博物館。1816年にナポリ王立ブルボン家博物館として開設し、イタリア統一に伴いナポリ国立考古学博物館と名称を変えた。ファルネーゼ家のコレクションを中心に、ギリシャ・ローマ時代の美術品、ポンペイの出土品などを所蔵。

＊北方ルネサンス

15〜16世紀にアルプスよりも北側、ネーデルラント（現在のベルギー、オランダ）、ドイツ、フランスなどで花開いた美術。古代ギリシャ・ローマ美術の流れを汲み、静謐さ、精緻さが際立った作風。宗教画から発展した風景画、静物画、風俗画も多く残されている。

発信し続けるイタリアはアートのど真ん中

原田　展覧会の企画、という点で言うと、私は文化のダイバーシティにとても興味があります。2019年に世界遺産の清水寺で「CONTACT」展という展覧会を企画して、日本内外の古い作品から現代アートまで、絵画も漫画もビデオも全部集めた展覧会を開催しました。

その展覧会で私がなにを言おうとしたかというと、特に近代以降、日本のアートは西洋の影響を受けて発展してきた歴史がある。一方で、開国前の日本から陶磁器が西洋に伝わり、開国後は西洋のアートも日本から強い影響を受けてきました。双方が実は長い時間をかけて、文化の関係性を育んできたというのを、誰が誰に影響を受けたか繋がりがわかる展示品を見ていただくことで、理解していただく展覧会にしたかったんです。

マリさんがご興味を持っておられるイタリアは、おそらく影響を与え続け、発信するほうだったから、アートの歴史のど真ん中。ルネサンスを起点としたイタリアの美術、文化の発展がなかったら世界の美術の歴史は変わっていたでしょうね。

ヤマザキ　すべての道はローマに通じると言われるほど、至るところでローマ帝国が関与していますからね。あの時代にあれだけ素晴らしいものが生み出されているのは、けっして自然発生したわけではなくて、地中海文明のなかのひとつの現象で、ローマ帝国は文明のコンサルタントとさえ言われていますもんね。

原田　その最先端にマリさんがいるわけですね。

ヤマザキ　知らず知らずのうちに。イタリアに行くまではそんなにルネサンスを好きだったわけじゃなかったんです。どちらかと言えばシュルレアリスムのようなフランス近代のアートシーンか、ラファエル前派的なほうが好きだった。でも実際に行ってみたら、あれよあれよという間に、強い磁場に引き込まれていって、気がついたらディープにハマっていました。逆に思い入れや理想がなかったぶん、ウッチェロみたいな人に着眼点がいったり、ルネサンスの熱量が自分のなかに実直に入ってきたのかもしれません。私はやっぱりイタリアの古典を集めた美術館をつくって、ダ・メッシーナやウッチェロの作品を置きたいですね。

原田　強烈なウッチェロ推し。

ヤマザキ　すみません（笑）。ルネサンスというきらびやかで高尚でハイスペックななかで、ある種、それらを覆す存在として。

原田　覆しちゃだめじゃないですか（笑）。

ヤマザキ　でも彼がいないと、触発されて後に繋がる人たちもいないわけですから。それに美術でも音楽でも創作を生業とし、面白いものをつくる人には社会性なんて持てないマニアックな暴走者が多い。いまだってそうです。それを認識するためにも必要な存在。できればウッチェロをはじめとする1450年代よりも前の画家の絵を多く飾りたいですね。

原田　レオナルド以前の絵ということですか。

ヤマザキ　はい。レオナルドが生まれる1450年代以前。ボッティチェッリの作品でさえ、もう遅いかなという印象がありますね。

原田　ボッティチェッリの絵はだいぶ人間っぽくなっていますもんね。そうなるとマリ館長の古典美術館には、マサッチオやジョットあたりの作品から展示する感じでしょうか？

ヤマザキ　ジョットまで遡ると、ルネサンスよりも100年以上前の古典に入りますが、ジョット抜きではいろいろと繋がらないので、彼の作品はアリですね。要は保守的なフォーマットを崩すようなアイディアを、勇気を振るって表現した人が好きなのかもしれません。

原田　いまの尺で100年前と言うと、明治時代の絵画を見るような感覚ですが、当時だったら100年ってはるかに遠い昔ですよね。

ヤマザキ　私の漫画でもウッチェロとマサッチオが一緒にパドヴァのスクロヴェーニ礼拝堂に行って、ジョットの絵から強い触発を受けるというシーンがあります（笑）。

原田　私たちが《鳥獣戯画》を見ているような感覚に近そう。

ヤマザキ　そう考えると、バロック期のカラヴァッジョから見たら、１４００年代のウッチェロもマサッチオも大古典。

原田　クラシック中のクラシックですね。

ヤマザキ　そして私はやっぱりカルパッチョの絵も置きたいですね。

原田　出ましたね、ヴェネチアのおしゃれ番長（笑）。

＊「CONTACT」展
ICOM（アイコム／国際博物館会議）京都大会を記念して、日本と世界のアートにおける両者の接点（コンタクト）をテーマに、2019年夏に京都・清水寺で開催された。西洋近代絵画、現代美術、文学、漫画、映画など、ジャンルを越えた作品が集結し、8日間限定ながら来場者数は1万人を超えた。

イタリアのとあるパスタの話

原田　前にナポリタンを食べに、ナポリに行ったんですが、ナポリタンってオーダーしても通じなかったです（笑）。

ヤマザキ　東京風スパゲッティと言っているようなものですからね。日本では細切りのピーマンとソーセージの輪切りが入ったケチャップ味のナポリタンに馴染みがありますが、イタリアではケチャップ味は存在しません。最初にイタリア留学したときに、ケチャップ味のナポリタンをつくったら、ルームメイトが「なんて邪道なことをしているんだ！」ってパニックになっていました。でも、もったいないからとしぶしぶ食べたら、みんな、案外いけるもんだねって（笑）。

原田　ジェノヴァに行ったときに、ジェノヴェーゼを食べたらとてもおいしかったですね。スパゲティ・ボロネーゼが好きなのに、ボローニャには行ったことがなくて、コロナが明けたらボローニャは行きたいところのひとつ。ボロネーゼはやっぱりおいしいんですか？　地名の入った名前の食べ物があったら、私、必ずご当地で食べているんですが。

ヤマザキ　おいしいですけど、ボロネーゼ以外にもおいしいものがたくさんありますよ（笑）。ボローニャと言うと、真面目な人が多い都市で有名です。実際インテリな人が多く、知的なイメージがありますね。

原田　ボローニャ大学はヨーロッパ最古の総合大学ですし、街全体がアカデミックなんですね。

静謐さのなかに潜む〝繰り返しの美学〟

原田　マリ館長のイタリア古典美術館は、カルパッチョの部屋と、ダ・メッシーナの部屋の展示で決まりなので、私はその横にイタリアモダン館をつくろうかな。イタリアモダン美術館に入ると、ジョルジョ・モランディのピン推し。彼の作品だけが飾ってあるという（笑）。

ヤマザキ　モランディはそれこそボローニャの誇る巨匠ですよ。私もモランディが大好きで、モランディ展が開催されると必ず見に行きます。イタリアでモランディだけの展覧会があったんですが、来客は、同じ静物画だけがどこまでも並んでいるあの独特の空間に、飽きてしまうか、心地よく見続けられるかの二択を迫られ（笑）。

原田　日本でも2016年に東京ステーションギャラリーでモランディの展覧会がありましたが、モランディ作品が醸し出す空間のなかに、ふーっと入っていくのはいいですよね。

ヤマザキ　被写体を超えて、絵全体がなんとも言えない雰囲気を演出してくれるので、「なんで静物画なんだろう」「どうしてこの色なんだろう」なんてことが問題じゃなくなるくらい素晴らしい。私にとって、あの情動や主張性を抑えたニュートラルな調和は、心地よい音楽と同じです。モランディもセザンヌも、新しいものにどんどん挑戦するというよりも、同じ被写体を繰り返し描くことに美徳を感じている画家だと思うのですが、モランディはそんな境地も超えているように感じます。

原田　しつこさというか執念というか、静かな熱量がすごい。モランディをテーマにした小説を書いたことがありますが、私のまわりにも隠れモランディファンが多いですよ。

ヤマザキ　日本でも人気がありますが、イタリアでもコアなファンが多くて、特に学者や作家などの教養人が好んでいるという印象があります。

原田　モランディの静謐な感じが好まれるんでしょうね。

ヤマザキ　生涯を通して延々と同じ瓶を描き続けるなんて、ある意味、達観していますよね。

原田　もう違うものを描きなよって言いたくなるくらい（笑）。じっとモランディの絵を見ていると、だんだんと人に見えてきたりもするんですよね。

ヤマザキ　私は音が聴こえてくる感覚があって、微妙なハーモニーを感じます。統制されていない歪みもあって、そこがまたいいんです。

原田　彼が日本に影響を受けたという話を聞いたことはないんですが、日本的なエッセンスを匂わせる作品も多いです。当時のモダニスムの流れのなかで、モランディは日本のDNAをどこかでキャッチしていた気がします。

ヤマザキ　モランディ自身の人を寄せ付けなさそうなひねくれた佇まいもいい。

原田　モランディには妹が3人いて、彼女たちが修道女のように彼をマネージメントしていました。彼らはほとんどボローニャから出ずに一生を終えていて、謎が多い兄妹なんですよ。

ヤマザキ　奥さんがいたら大変だったでしょうね。

原田　また描いてるよ、あの瓶を……みたいな（笑）。

ヤマザキ　こだわりが強いという意味ではウッチェロに近いものがありますね。まわりにどう受け入れてほしいという思惑や自己主張がまったくない、極めて私的な世界観のなかだけに生きていた感じに惹かれます。

原田　ウッチェロの絵はもっと生物っぽくて、still life な感じがしますが、自分が好きだからやっているという点ではとてもよく似ていますね。

＊**ジョルジョ・モランディ**［1890－1964年］
イタリアの画家。静物画、風景画を中心に自己の芸術を探求し、独自のスタイルを確立。卓上に日用品の水差し、瓶、碗などを置き、配置を変えながら繰り返し描いた。

Natura morta（Stillleben）

提供:akg/アフロ

アンリ・ルソーの後追いを思わせる展示

原田　4年くらい前に、パリのオルセー美術館でアンリ・ルソーの大きな展覧会が久しぶりにあって、喜び勇んでオープニングに行ってきましたが、とてもうまい展示で、感心させられました。ルソーの絵だけを並べて鑑賞すると、正直、やっぱりどうしても「へんな画家の下手な絵」っていう気持ちが湧いてきてしまうんですが……。

ヤマザキ　どの絵もパースが狂ってますもんね。

原田　その展覧会では、19世紀末から20世紀初頭に登場したアンリ・ルソーは何者だったのか、なぜここまで現代の人々の心をつかむことができるのかを、実感できる展示になっていたんです。それこそウッチェロに通じるようなシュルレアリスティックな表現、人物画を描いていても静物画に見える静謐さがどこからくるのか。ほかのアーティストたちにどう作用しているのかを、パラレルに展示することで、見ている人が比較できる形になっていました。

ルソーが描いた、壺に花が挿してある絵があるんですが、それだけを見るとただの、なんだかなあ……という絵に見えるのに、そこにモランディの絵を並べてみると、すごくきれいにはまるんですよ。

ヤマザキ　定型の美意識と審美眼のフィルターを通して見ると、ルソーの絵はどことなく不穏というか、落ち着かない作品に見えてしまいますが、すべてを覆して払拭した意識で対峙すると、初めてその美しさがわかってくると思います。

原田　ルソーの絵だけをぽんと置くと、高校の美術部の人が描いた絵に見えますからね。

ヤマザキ　でもそこがほんとうは味わい深くて、3Dとは言えない陰影の表現がまたいいんです。

原田　彼は陰影をつけたかったけど、つけ方もわからないし、どうやってもうまくいかなかった。でも陰影をつけられなかったことで、かえって日本の浮世絵のような色彩の明瞭さが、前面に出てきています。

ヤマザキ　そんなルソーの絵に、モランディの陰影を抑えた作品を並べるなんて、にくいですね。

原田　モランディもなんだか、ぽーんと抜けてるでしょ（笑）。

ヤマザキ　先生に怒られる絵ですよ、花瓶が下についてないだろって（笑）。でもその予定調和のない表現こそが素晴らしいんですよね。

原田　後期のルソーの大型作品は、アンリ・マティスとピカソに挟んで展示されていて、それがまた恐ろしいほどはまる。ルソーのあとに出てきたアーティストであるマティスやピカソが、まるでルソーの後追いをしているようで、もしかして彼らはルソーに影響を受けていたんじゃないかという気持ちになるんです。マリさんがおっしゃる、ボッティチェッリがウッチェロに影響を受けているかもしれないという妄想に近づくんですよね。

ヤマザキ　日本では無名ですが、実はイタリアにはルソーに影響を受けたアントニオ・リガブエという画家がいます。私がイタリアに留学してすぐに知った画家で、最後、彼は精神に支障をきたして、独自の方向にいってしまうんですが、彼の半生は映画にもなっています。

原田　いつごろに活躍した画家ですか？

ヤマザキ　1940年代ですね。

原田　モランディとほぼ同時代にリガブエは出てきているなんて、イタリアのアートはほんとうに奥が深いですね。

ヤマザキ　リガブエはずっとトラの絵を描き続けていたんですが、家に魔除け的な意味で（笑）、リガブエを飾るのはどうですか？

＊**オルセー美術館**
フランスのパリにある19世紀美術専門の国立美術館。旧オルセー駅の建物を改築、1986年に開館した。印象派の絵画を数多く収蔵している。絵画、彫刻だけでなく、写真、家具、工芸品など幅広い視覚芸術作品も所蔵し、展示されている。

＊**アンリ・ルソー**［1844－1910年］
フランスの画家。独学で絵を修め、税関の職員だったことから「税関吏ルソー」の通称で知られる、素朴派の祖。主な作品に《蛇使いの女》《眠るジプシー女》《夢》などがある。

＊**アンリ・マティス**［1869－1954年］
フランスの画家。フォルムの単純化と鮮烈な色彩にこだわり、新しい絵画の地平を切り開いた。彫刻、版画も手がけ、切り紙絵をモチーフにしたステンドグラスなども発表。代表作に《豪奢、静寂、逸楽》《画家の娘》《ダンス》などがある。

＊**アントニオ・リガブエ**［1899－1965年］
20世紀素朴派の画家。イタリア人移民としてスイスで生まれるが、イタリアに追放される。貧困にあえぎながらも、トラやヒョウなどをモチーフに絵を描いた。時に精神を病みながらも活動を続けた彼の半生は、たびたび映画化された。

家に飾るならインテリア性の高い絵

原田　「家に飾る絵」問題で言うと、個人的にいただけるなら、モランディがほしいです。あれだけ多くの作品があるんだから、ひとつくらいもらっても大丈夫な気もします（笑）。

ヤマザキ　私もモランディは飾りたい絵に入りますね。部屋に飾る絵はやっぱり、強烈な主張性のない、穏やかだけど見つめていると思索的になれるものがいいです。

原田　モランディの作品はサイズが小さいのもいいですよね、全体の絵の雰囲気も落ち着いていますし。

ヤマザキ　モランディはインテリア的な要素も濃い絵画ですからね。ウッチェロの絵はどんなに好きでも、家にずっと飾ってあるとなると穏やかな気持ちにはなれないだろうな、あのおばちゃん聖母子の絵とか（笑）。

原田　前に私の講演会で、「たとえばあなたのボーイフレンドの家に、ルソーとブグロー、どちらの絵が飾ってあったら、彼のことを信用できますか？」って訊いたことがあるんです。

ヤマザキ　すごい選択肢ですね（笑）。

原田　ルソーは当時のアカデミーの画家に憧れていて、ウィリアム・アドルフ・ブグローの、いかにも優等生的な絵、泡のなかからヴィーナスが登場するような絵を目指していました。ブグローに寄せて一生懸命にルソーが描いた《幸福な四重奏》と、ブグローの三美神を並べてみると、なんだかルソーが愛おしくなるんですよ。

ヤマザキ　ブグローに憧れてこの絵を描いていたと思うと、なんかもう泣けてきますね。

原田　講演会のみなさんも、ブグローのヌードの絵が飾ってあったらドン引きだけど、ルソーだったらちょっとこの人いいかもって思うって言っていました。

ヤマザキ　裸婦の絵が躊躇されていた当時、ギリシャ神話を題材に裸を描くのは許されていて、ブグローの絵はポルノとまでは言いませんが、写真がまだ一般に普及していない時代、どうしてもエロティックな性質が強い。

幸福な四重奏
提供:ARTOTHEK/アフロ

原田　この話には続きがあって、行定勲《ゆきさだいさお》監督に、講演会でのルソーとブグローの絵の話をしたら、「でもその部屋に住んでいる彼が、GACKTさんだったらどうするの？」って（笑）。GACKTさんだったら、ブグローが飾られているほうがいいかもしれないです。

ヤマザキ　装飾美術的なものが好きな方なら、ブグローを選びますよね。ルソーが飾ってあったら、もしかしてこの人って見た目によらずガラスの少年なのでは？　と思っちゃうかも（笑）。ヨーロッパの文学の本には、ルソーの絵が使われていることが多くて、装画としてもとても好まれていますね。

原田　ルソーはシュルレアリスムの到来をまったく意識はしていなかったけれど、絵にはその予感が潜んでいます。無意識のうちにシュルレアリスムの準備をしていたルソーの絵は、たしかに装画にぴったりですよね。

＊**ウィリアム・アドルフ・ブグロー**［1825－1905年］
フランスのアカデミック絵画を代表する画家。神話、文学に材をとり、天使や少女の姿を写実的に表現した。代表作に《ヴィーナスの誕生》《オレステースの悔恨》《アムールとプシュケー、子供たち》などがある。

マハ×マリの妄想美術館

原田　私の一人館長なら、ダイバーシティをテーマにした世界各国の国連美術館的コレクション100点で攻めることにします。とはいえ、世界中の素晴らしい美術館のコレクションにすでに所蔵されていますから、印象派美術館、ゴッホ美術館というアプローチで一箇所に集める意味はない気がする。展覧会のテーマごとに、いろいろな美術館を巡回して見るのも楽しいですしね。

ヤマザキ 私の一人館長は、イタリア古典美術館で決まりです。

原田 ウッチェロの横に置くなら、ルソーの《人形を持つ子供》を置きたいですね。必死でかわいく描こうと思えば思うほど、こわくなってしまうルソーの絵と、ウッチェロの《聖母子》を並べてみたい。

ヤマザキ もしそんな美術館がほんとうにあったら、どんなに遠くても私は見に行きますよ（笑）。

原田 マリさんと一緒にイタリアのアートを巡る旅ができたら、そうとう楽しそうですね。今度、連れて行ってください。

ヤマザキ ぜひ行きましょう。誰かと一緒だと、つい脚色しながら絵の説明をしてしまうので、キュレーターの人に「うるさい！」と注意されることがありますが（笑）、そこは気をつけつつ、あれこれ憶測や推察を巡らせながら楽しみたいですね。

あとがき

ヤマザキマリ

1980年代半ば、フィレンツェでの貧乏画学生時代、バブル景気だった日本人の観光客が毎日数え切れないくらいこの街を訪れていましたが、美術の勉強をしていた私はそんな故郷の観光客のためにガイドのアルバイトをしていたことがあります。

芸術都市に滞在しているからには、私自身が入れ込んでいるルネサンス史や、当時の画家や彫刻家や建築家たちが残した偉大なる軌跡をじっくり堪能してもらおうと張り切って案内をするのですが、団体旅行のみなさんにとって美術館を訪れるのは、修学旅行で訪れる観光名所のように、自分たちの意志とは関係なく義務として見ておかねばならぬもの、という感覚に近いらしく、なんだかあまり盛り上がってくれません。「ねえガイドさん、ここからグッチは近いのかしら」などとダ・ヴィンチの《受胎告知》の前でおばちゃんから声をかけられたときは、私は自分の美術作品の説明の仕方